P9-BJJ-573

17 Juillet 2004

Pour nos sympathiques voisins
quelques idées parfumées à
rapporter dans leurs bagages
Bien sincèrement,
    Franceline et Denis

——

LA LAVANDE

LA LAVANDE

POUR CRÉER, DÉCORER, CUISINER

TESSA EVELEGH

Photographies de DEBBIE PATTERSON

Traduit de l'anglais par ARIEL MARINIE

À ANNE

Édition originale 1996 en Grande-Bretagne par Lorenz Books
sous le titre *Lavender*

Responsable éditoriale : Joanna Lorenz
Éditrice : Joanne Rippin
Maquettiste : Nigel Partridge
Photographe : Debbie Patterson
Stylisme des photographies : Tessa Evelegh
Illustrations : Anna Koska

Traduit de l'anglais par Ariel Marinie

Crédits photographiques :
The Bridgeman Art Library : p. 18 ;
Bruce Coleman Ltd : p. 8 (Herbert Kranawetter) ; p. 20 (C. Martin Pampaloni) ;
The Garden Picture Library : pp. 16, 19, 28 (gauche et droite), 32, 33, 35 (gauche et droite) ;
Clive Nichols : p. 34 ; Visual Arts Library : p. 10.

ISBN 2-84198-151-7
Dépôt légal : septembre 2000
Imprimé à Singapour

SOMMAIRE

INTRODUCTION

Très prisée depuis des siècles pour son parfum, ses propriétés médicinales et sa belle couleur violet foncé, la lavande occupe une place de choix dans la hiérarchie des plantes aromatiques. Entre autres vertus, elle a le pouvoir de calmer les enfants agités et de soigner l'insomnie, l'anxiété et la dépression et donc de procurer beaucoup de bien-être. De fait, le travail établi pour ce livre sur la lavande m'a donné un immense plaisir. Est-ce parce que la lavande exerce sur moi ses sortilèges ou parce que ses qualités si diverses permettent de l'utiliser de multiples façons ? Je ne le saurai jamais. Mais j'espère avoir transmis à mes collègues, à toutes les étapes d'élaboration de l'ouvrage, la joie que j'ai éprouvée à étudier cette plante magique.

Plus que les autres herbes aromatiques, la lavande me touche particulièrement. Elle me rappelle mon enfance à la campagne, où presque tous les jardins sont entourés de haies

de lavande denses et touffues. Envoûtée par le parfum de cette plante quand je me promenais le long des petites routes, je n'ai jamais résisté au plaisir de cueillir quelques brins pour les rapporter chez moi. Je les faisais sécher sur un plateau afin de confectionner des sachets de lavande que j'offrais à ma mère, une fois par an. S'ils se sont perdus au fil de mes déménagements, les idées, en revanche, ne m'ont pas manqué pour constituer cet ouvrage.

Mon premier objectif était de proposer des projets faciles à réaliser, notre mode de vie actuel ne nous autorisant pas toujours à consacrer beaucoup de temps et d'espace à l'artisanat. Le second était de montrer que si la lavande a occupé une place importante dans les tiroirs de nos grands-mères, elle possède aussi un avenir prometteur : la forme sobre et élancée de ses épis, son parfum frais et enivrant en font un matériau idéal pour toutes sortes d'usages : décoratif, cosmétique et thérapeutique.

CI-DESSUS — *Le temps des récoltes dans un champ de lavande du Norfolk.*

CI-CONTRE — *Au coucher du soleil, le merveilleux parfum d'un champ de lavande embaume un ciel d'été.*

L'HISTOIRE ET
LE FOLKLORE

✦

STOECHAS EST UNE HERBE AUX TIGES ÉLANCÉES,
FLEURIE EN SAISON, MAIS TOUJOURS FEUILLUE,
AU GOÛT PIQUANT ET UN PEU AMER.

Dioscoride, *Sur la matière médicale*, v. 60 apr. J.-C.

CI-DESSUS — *La lavande blanche met en valeur
les tons nuancés et profonds des variétés violettes.*

CI-CONTRE — *Originaire des pays méditerranéens,
la lavande voisine avec les oliviers depuis des siècles.*

Les superbes couleurs et le parfum envoûtant de la lavande en ont fait une herbe aromatique chère au cœur des hommes depuis la nuit des temps. Au cours de cette longue histoire d'amour, on lui a attribué beaucoup de vertus, réelles ou imaginaires.

Les Romains connaissaient déjà ses propriétés curatives et antiseptiques, son action anti-insectes et son utilité pour le blanchissage du linge. La Bible évoque le prix élevé de la lavande, sous le nom de « nard ». Dans l'Évangile de saint Jean, on lit : « Marie prit une livre de nard de grande valeur, en oignit les pieds de Jésus et les essuya de ses cheveux. Et la maison fut remplie de ce parfum. »

Au fil des siècles, les références bibliques et le folklore se sont confondus. Selon la légende, Adam et Ève auraient emporté la lavande avec eux lorsqu'ils furent chassés du jardin d'Éden. Ce n'est que beaucoup plus tard qu'elle aurait reçu son parfum si caractéristique : lorsque Marie mit les vêtements de l'enfant Jésus à sécher sur un buisson.

C'est sans doute en raison du toucher sacré de la Vierge que l'on en vint à considérer la lavande comme une protection contre toutes sortes de maux. Traditionnellement, on accrochait une croix faite de brins de lavande au-dessus de sa porte afin d'écarter le malheur. Cette croyance n'était pas complètement

CI-DESSUS — *La lavande a sauvé Jérusalem de la destruction lorsque Judith s'en servit pour étourdir les sens du commandant ennemi, Holopherne.*

absurde, la lavande tenant réellement la maladie à distance dans certains cas. Ainsi, lors de la grande épidémie de peste de Londres, au XVIIe siècle, on conseilla aux gens de s'attacher un bouquet de lavande à chaque poignet pour se protéger de la contamination. On sait que les déterreurs de cadavres se lavaient avec du « vinaigre des quatre voleurs » qui, entre autres ingrédients, contenait de la lavande. Ainsi, bien que beaucoup plus exposés aux épidémies que la plupart des gens, les pilleurs de tombes tombaient rarement malades. En France, au XVIe siècle, la lavande était réputée

pour prévenir efficacement toute espèce de contagion. De fait, les fabricants de gants, autorisés à parfumer leurs articles avec de la lavande, échappèrent au choléra.

Plus récemment, la lavande se trouve plutôt associée à l'amour. Certes, dans le folklore, l'arôme de la lavande provoquait chez les hommes une stupeur proche de l'ivresse. L'un des livres apocryphes de la Bible raconte que Judith se serait ointe de parfums à base de lavande pour séduire le commandant de l'armée ennemie, Holopherne. Après l'avoir placé sous l'emprise de sa senteur divine, elle l'aurait assassiné, sauvant ainsi la ville de Jérusalem.

À l'époque des Tudor, il semble que la lavande ait eu des liens privilégiés avec Cupidon. Quand une jeune fille voulait connaître l'identité de l'homme qui lui était destiné, elle buvait une infusion de lavande le jour de la Saint-Luc en murmurant :

Saint Luc, saint Luc, sois bon avec moi,
fais-moi voir en songe celui à qui je dois être.

Dans les régions montagneuses, les jeunes filles mettaient de la lavande sous l'oreiller de leur amoureux, espérant que son parfum exacerberait son désir. Les jeunes couples plaçaient des bouquets de lavande séchée sous leur matelas pour prolonger l'amour conjugal.

LES BIENFAITS DE LA LAVANDE

STOECHAS... LIBÈRE LE FOIE, LES POUMONS, LA LAITANCE, LA MÈRE, LA VESSIE,

EN UN MOT, TOUTES LES ENTRAILLES, PURIFIANT ET CHASSANT LES MAUX ET LES HUMEURS VICIÉES.

John Gerard, *L'Herbier,* 1597

Pendant des siècles, les simples que l'on cueillait dans les champs et les bois ont constitué l'armoire à pharmacie de base. Les vertus curatives de la lavande lui ont toujours donné une place de choix parmi les plantes médicinales. La première mention de ces propriétés date de 77 apr. J.-C. Le Grec Dioscoride, médecin dans l'armée, écrivait : « Une décoction [de lavande]... soulage les douleurs du thorax. » À la même époque, un Romain,

Pline l'Ancien, affirmait que la lavande calmait les douleurs menstruelles et les maux d'estomac, guérissait les problèmes de reins, la jaunisse et l'hydropisie, et soulageait les piqûres d'insectes. Lorsqu'ils partaient en campagne, les soldats romains emportaient de la lavande pour panser leurs blessures de guerre.

Au Moyen Âge, c'étaient les moines et les nonnes qui cultivaient les herbes aromatiques et préparaient les médicaments. Au XIIᵉ siècle,

une abbesse de Mayence, Hildegarde, découvrit ce que les Romains savaient depuis des siècles : l'huile essentielle de lavande aidait au traitement des poux. Cette méthode était encore utilisée en Provence, en 1874.

Au XVIIᵉ siècle, la lavande devint une sorte de médicament universel : on l'utilisait pour guérir les maux de tête, calmer les nerfs, soigner l'acné et apaiser les piqûres d'insectes ainsi que «les morsures de serpent, de chiens enragés et autres créatures venimeuses ».

Au XIXᵉ siècle, la lavande en extrait apparut dans la pharmacopée, dans des gouttes censées guérir le «haut mal, les rhumes, les maux de ventre et d'estomac, les nerfs, l'apoplexie, la paralysie, les convulsions, le vertige, les migraines, les pertes de mémoire, les troubles visuels, la mélancolie, les évanouissements, l'acné et la stérilité chez les femmes».

Au cours de la Première Guerre mondiale, la pénurie d'antiseptiques modernes fut telle qu'il fallut recourir à la lavande des jardins : son huile essentielle associée à des sphaignes servit à panser les blessures des soldats.

De nos jours, la lavande est encore utilisée dans la phytothérapie. Les petits coussins

CI-CONTRE — *Les remèdes à base de lavande existent depuis l'Antiquité.*

CI-DESSUS – *La lavande est cultivée depuis des siècles, à des fins tant médicinales que décoratives.*

garnis de lavande séchée peuvent favoriser le sommeil et aider à combattre le stress ou la dépression. La lavande se boit en infusion ou s'utilise sur une compresse pour panser les blessures, décongestionner les sinus, ou encore soulager les maux de tête, les « gueules de bois », la fatigue et la tension nerveuse.

Bien que naturels, les remèdes à base de plantes peuvent s'avérer dangereux s'ils ne sont pas utilisés correctement. Si vous destinez la lavande à un usage interne, contentez-vous de la boire en infusion très diluée, sauf si vous êtes traité par un herboriste agréé.

FAIRE UNE COMPRESSE
Faites tremper un linge propre dans une infusion de lavande brûlante et utilisez aussitôt.

FAIRE UNE INFUSION
Versez de l'eau bouillante dans une tasse, laissez refroidir 30 secondes, puis ajoutez une cuillerée de lavande fraîche ou séchée. Couvrez et laissez infuser 10 minutes, en remuant de temps en temps. Passez et buvez tiède.

Une infusion de lavande légère aide à purifier l'organisme et peut calmer les migraines et les douleurs d'estomac. Vous pouvez également ajouter un peu de miel.

L'AROMATHÉRAPIE

LA LAVANDE... N'EST PAS SEULEMENT DOUCE À L'ODORAT ET PAR CONSÉQUENT APAISANTE POUR LES SENS ET L'ESPRIT,
ELLE EST ÉGALEMENT BONNE POUR LA PARALYSIE ET AUTRES INFIRMITÉS.

Thomas Cogham, *L'Abri de la santé*, 1584

Même si le mot « aromathérapie » est apparu dans les années 1920, sous la plume du chimiste René-Maurice Gattefosse, la pratique de cet art remonte à des milliers d'années. Le médecin grec Théophraste, qui vécut au IIIe siècle av. J.-C., a évoqué les vertus curatives des senteurs dans son livre *Au sujet des odeurs*. L'action de celles-ci est reconnue depuis fort longtemps. Autrefois, on éparpillait de la lavande par terre pour purifier l'air et désinfecter les chambres de malades. On l'utilisait aussi comme encens dans les cérémonies religieuses. Les aromathérapeutes actuels pensent que les odeurs peuvent affecter les équilibres chimiques du corps, ce qui expliquerait les effets sur notre humeur de certaines plantes aromatiques.

L'huile essentielle de lavande jouit d'un statut particulier dans l'aromathérapie moderne depuis que Gattefosse l'a utilisée pure pour guérir une brûlure qu'il s'était fait à la main dans son laboratoire. Il avait remarqué que les blessures de guerre infectées, traitées avec de l'huile essentielle de lavande, guérissaient très vite du fait que les poisons qui s'introduisaient dans le sang étaient neutralisés.

L'aromathérapie repose sur l'utilisation d'huiles essentielles extraites par distillation. Cette opération n'étant pas facile à réaliser chez soi, la plupart des gens préfèrent les acheter déjà prêtes. L'huile essentielle de lavande pure coûte cher, mais il ne faut pas se laisser tenter par les flacons bon marché. S'ils sont vendus à bas prix, c'est souvent parce que l'huile a été mélangée avec d'autres, moins efficaces. Il vaut mieux acheter des flacons précisant « Huile essentielle de lavande pure » chez des fournisseurs spécialisés.

UTILISER L'HUILE ESSENTIELLE DE LAVANDE
L'huile de lavande peut être utilisée de multiples façons. Comme toutes les huiles essentielles, elle est très concentrée et doit donc être manipulée avec précaution. L'absorption est strictement proscrite, de même que le traitement d'enfants de moins de dix-huit mois.

Dans un brûleur

Embaumez l'atmosphère de votre maison et de votre jardin en faisant brûler de l'huile de lavande. Cette odeur est particulièrement salutaire l'été, car elle repousse les insectes. Elle apaise les nerfs et soulage les maux de tête.

Vous pouvez acheter des brûleurs spéciaux en porcelaine. La partie supérieure est un récipient peu profond sous lequel se trouve un compartiment destiné à une petite bougie. Versez 1 cuillerée à soupe d'eau chaude et quelques gouttes d'huile essentielle dans le récipient. Allumez la bougie, puis asseyez-vous et respirez profondément pour vous détendre. Rajoutez de l'eau de temps en temps pour éviter que le récipient ne se vide. Ne laissez jamais une bougie allumée sans surveillance et n'en mettez pas dans une chambre d'enfant.

Dans le bain

Un bain à la lavande est relaxant, légèrement antiseptique et aide à guérir les égratignures,

CI-DESSOUS — *Mélangée à de l'huile de massage, la lavande dégage un arôme frais qui aide à combattre le stress et les maux de tête. Son effet apaisant facilite le sommeil et calme les douleurs musculaires. Réchauffez-la un peu avant de masser.*

CI-DESSUS — *Dans un brûleur, la lavande écarte les insectes et crée une ambiance apaisante.*

morsures, boursouflures et autres bobos. Il permet également de se délasser agréablement après une journée de travail ou une longue randonnée sous le soleil d'été.

Versez 5 à 10 gouttes d'huile essentielle de lavande dans le bain avant de vous y allonger.

Pour le massage

Mélangée à une huile de base pour massage, comme celles d'amande douce, de tournesol ou d'olive, l'huile essentielle de lavande aide à se détendre. Comptez 2 à 3 gouttes d'huile essentielle de lavande pour 1 cuillerée à café d'huile de base. Pour des quantités plus importantes, comptez 20 à 60 gouttes d'huile de lavande pour 7 cuillerées à café d'huile de base.

En inhalation

Préparez une inhalation pour dégager un nez bouché, nettoyer la peau ou combattre l'acné.

Versez 5 à 8 gouttes d'huile essentielle de lavande dans un récipient d'eau très chaude. Penchez-vous au-dessus, en vous couvrant la tête avec une serviette et inhalez doucement.

PREMIERS SOINS

Vous pouvez utiliser de l'huile de lavande pure comme antiseptique en premier soin sur les coupures, les égratignures, les brûlures, les furoncles, l'acné, les dermatites et l'eczéma ainsi que pour apaiser les coups de soleil, les piqûres d'insectes et les morsures.

Acné

Mélangez 2 gouttes d'huile essentielle de lavande à votre crème hydratante habituelle pour faire disparaître les boutons tenaces.

Brûlure

Pour soulager la douleur et faciliter la guérison de brûlures superficielles, versez 1 goutte d'huile essentielle de lavande dessus.

Congestion

Pour dégager un nez congestionné, versez quelques gouttes d'huile essentielle de lavande sur votre mouchoir et respirez autant de fois par jour que nécessaire. La nuit, placez votre mouchoir à proximité de vos narines ou utilisez un coussin à la lavande *(voir pp. 92-93).*

Coup de soleil

Versez quelques gouttes d'huile essentielle de lavande dans de l'eau minérale plate et utilisez en atomiseur pour vous rafraîchir la peau.

Insomnie

Confectionnez un coussin à la lavande à poser sur votre oreiller *(voir pp. 92-93).* Son parfum apaisant vous aidera à vous endormir.

Mal de tête

Tamponnez-vous 1 goutte d'huile essentielle de lavande sur chaque tempe pour soulager les migraines.

Piqûre d'insecte

Apaisez les piqûres d'insectes avec 1 goutte d'huile essentielle de lavande.

Rhume

Versez quelques gouttes d'huile essentielle de lavande dans le bain pour éliminer les toxines. Avant de sortir, tamponnez 1 goutte d'huile essentielle de lavande sous chaque narine. L'odeur de camphre peut dégager les sinus.

LES ANCIENS

MA DOUCE AMIE, MA PROMISE EST UN JARDIN SECRET ENTOURÉ DE MURAILLES, UNE SOURCE CACHÉE...
LE HENNÉ ET LE NARD NE LUI FONT PAS DÉFAUT.

Chant de Salomon, vers 900 av. J.-C.

La lavande aromatique est très prisée depuis l'Antiquité. Les Égyptiens avaient appris à confectionner des parfums enivrants qui contenaient pratiquement toujours de la lavande. Lorsque la tombe de Toutankhamon fut ouverte en 1922, près de 3 000 ans après sa mort, on y découvrit des urnes remplies d'onguents qui sentaient encore la lavande. Au temps des Égyptiens, ce baume de grande valeur était sans doute réservé aux familles royales et aux grands prêtres.

Les femmes ont toujours su user du pouvoir de séduction des parfums. Voulant conclure un accord avec le roi Salomon, la reine de Saba lui fit don d'encens, de myrrhe et de nard. Quant à Cléopâtre, elle conquit Jules César et Marc Antoine en s'aidant de parfums qui contenaient de la lavande.

Mais les femmes n'étaient pas les seules à se parfumer en ce temps-là. Dans l'Égypte ancienne, les hommes des milieux aisés se mettaient des cônes d'onguents sur la tête, et ceux-ci, en fondant lentement, leur parfumaient tout le corps. Au IIIᵉ siècle av. J.-C., le philosophe grec Diogène expliquait ainsi pourquoi il se parfumait les pieds : « Si je me parfume la tête, le parfum se dissipe dans l'air, et seuls les oiseaux en profitent. Tandis que si je me parfume les membres inférieurs,

le parfum m'enveloppe tout le corps puis remonte jusqu'à mon nez. »

Les Romains étaient très prodigues de parfums, utilisant des huiles aromatiques pour imprégner les cheveux et le corps ainsi que les vêtements, le lit et, bien sûr les bains publics aménagés dans des édifices somptueux. Le bain était une véritable cérémonie. On commençait par se parfumer dans l'*unctuarium* avant de prendre un bain froid dans

le *frigidarium,* un bain tiède dans le *tepidarium* et un bain chaud dans le *caldarium.* Dans les bains chauds, les Romains se versaient des huiles parfumées chaudes sur le corps avant de se soumettre à un massage aux huiles aromatiques. Les femmes romaines se baignaient à domicile avant de s'oindre avec du *nardium,* une préparation parfumée à base de lavande. La nuit, elles accrochaient de la lavande près de leur lit pour chasser les punaises et attirer les prétendants éventuels.

Les innombrables appellations que porte la lavande remontent à des temps très anciens. Au XVIIᵉ siècle, le docteur Fenie écrivait dans son ouvrage *Les Simples* : « Ce sont les Grecs qui ont baptisé la lavande *nardus,* à partir du terme persan *nard.* » Les Romains nommaient la lavande *stoechas,* d'après les îles Stœchades — maintenant les îles d'Hyères, au large de la Côte d'Azur.

À GAUCHE — *Ce cadran solaire entouré d'un écrin de lavande blanche, lui-même inclus dans une double rangée de lavande mauve, fait un superbe ornement de jardin.*

À DROITE — *Le mot lavande vient de l'italien* lavanda, *« qui sert à laver ». Autrefois, la lavande était utilisée pour parfumer l'eau de toilette.*

LA VIEILLE ANGLETERRE

BELLES DAMES, JE VOUS APPORTE / DE LA LAVANDE AUX ÉPIS BLEUS ; /
JAMAIS PLANTE PLUS APAISANTE / NE FUT CUEILLIE EN CE PAYS.

Caryl Battersby, début du XIIe siècle

Au Moyen Âge, en Angleterre, c'étaient les moines qui maîtrisaient la connaissance des herbes aromatiques, entretenant savamment leurs jardins d'herbes médicinales. En 1301, la lavande figurait parmi les plantes cultivées à l'abbaye de Merton. C'était peut-être le premier signe avant-coureur du rôle que la région environnante était appelée à jouer dans l'histoire de la lavande anglaise. Au milieu du XIXe siècle, cette banlieue londonienne avec ses rangées de maisons adossées les unes aux autres, était couverte de champs de lavande, ce qui la situait au cœur de la production de l'huile essentielle.

Au XVIe siècle, les jardins d'herbes médicinales devinrent jardins domestiques quand le roi Henri VIII d'Angleterre abolit les monastères. La lavande commença alors à reconquérir la popularité dont elle jouissait à l'époque romaine, les dames des manoirs distillant elles-mêmes leurs eaux de lavande pour les offrir en présent lors des fêtes. Comme toujours, la lavande était associée à la propreté : on l'éparpillait au milieu du linge, on en faisait de petits sachets parfumés, on l'utilisait pour assainir l'air ou encore on la mélangeait à de la cire d'abeille pour faire de l'encaustique.

La reine Élisabeth Ire était une fervente de la lavande et en faisait grand usage, notamment

CI-DESSUS — *Cette gravure datant de 1804 représente une petite marchande des rues qui vend de la lavande, un acte courant dans le passé.*

pour se parfumer. Cela provoqua la multiplication des exploitations de lavande ainsi que celle des produits dérivés. Au XVIIe siècle, l'épouse du roi Charles Ier, Henriette-Marie de France, rapporta à la cour d'Angleterre des

cosmétiques du Continent, introduisant ainsi l'idée de parfumer le savon avec de l'huile essentielle de lavande, de confectionner des pots-pourris à base de lavande et d'utiliser des eaux de lavande dans le bain et pour le blanchissage du linge.

Une fois de plus, la lavande fit alliance avec Cupidon. Assez paillarde, la version de 1680 de la comptine « *Lavender blue, dilly dilly* » met tout le monde à contribution :

Certains fanent le foin, soufflez, soufflez,
D'autres sont aux blés
Tandis que vous et moi, soufflons, soufflons,
Gardons le lit bien chaud.

Au XVIIe siècle, les grands herboristes Gerard, Parkinson et Culpeper rédigèrent leurs herbiers, éveillant l'intérêt du public pour toutes les plantes médicinales. On vit apparaître dans les rues de nombreux marchands de lavande qui faisaient payer fort cher leur marchandise, en particulier pendant la grande épidémie de peste de 1665, où cette herbe magique passait pour écarter la terrible maladie.

Mais c'est surtout au long règne de Victoria que la lavande est associée. La reine aimait tant son arôme qu'elle nomma Miss Sarah Sprules « pourvoyeuse d'essence de lavande

CI-CONTRE — *Ce simple parterre de buis et de lavande donne une superbe architecture à ce jardin.*

de la reine », et qu'elle visita régulièrement les champs de lavande de la demoiselle.

La lavande embaumait les demeures de la reine. On l'utilisait pour laver les sols et nettoyer les meubles, on glissait des sachets parfumés entre les piles de draps dans les armoires à linge… L'engouement de la reine Victoria pour la lavande en fit un parfum à la mode chez les dames anglaises. Celles qui n'avaient pas les moyens de s'acheter de l'huile essentielle achetaient de la lavande fraîche aux marchands à la sauvette, encouragées par des chansons des rues comme celle-ci :

Belles demoiselles, achetez mes épis,
Sans songer à leur prix :
Il faut qu'il y ait du profit dans tous les métiers,
Ma lavande ne vient qu'une fois dans l'année.

Mettez-en un bouquet sous vos narines,
Quelle rose peut la surpasser ?
Glissez-en dans votre lingerie fine,
Elle en sera toute parfumée.

À Londres, le commerce de lavande était principalement assuré par les bohémiens. Ils la vendaient fraîche ou séchée, emballée dans des sacs de mousseline destinés à embaumer les armoires ou dans des sachets que les jeunes femmes portaient à la naissance des seins dans l'espoir d'attirer les prétendants.

Les usages domestiques et médicaux demeuraient. Au XIXᵉ siècle, les femmes ne se lassaient pas du parfum de la lavande, ce qui contribua à son rejet au cours de la première moitié du XXᵉ siècle, car elle était associée aux vieilles dames. Mais en cette fin de siècle, avec le retour aux produits naturels, la lavande connaît un regain de popularité qui continue de croître.

UN MONDE DE LAVANDE

C'EST L'ÉMERVEILLEMENT ET LA JOIE DU SUD DANS SON HABIT BLEU,

SON PARFUM EST LE DON DE DIEU À LA TERRE.

Maurice Mességué, 1972

Originaire, suivant les espèces, de la Perse, des Canaries, des pourtours de la Méditerranée, de l'Inde, du Nigeria, du Soudan, du Yémen, d'Arabie Saoudite, d'Iran, d'Oman et d'Éthiopie, la lavande aime la chaleur et la poussière. Elle possède de minces feuilles

CI-DESSOUS – *Un magnifique buisson de lavande dans un jardin toscan, en Italie.*

velues et de grandes réserves d'huile qui l'empêchent de se dessécher.

On peut donc s'étonner qu'au XIXᵉ siècle elle ait prospéré à Mitcham, en Angleterre. Les collines de cette région, orientées au sud et bien drainées, étaient couvertes d'un épais tapis aux couleurs d'améthyste et au parfum entêtant. Là, du fait de l'alternance de chaudes journées d'été et de conditions hivernales

plus rudes, la plante fabriquait plus d'huile. Et cette huile pouvait coûter jusqu'à 200 shillings la livre en 1881, tandis que les huiles françaises et hollandaises n'en valaient que 18. Les produits anglais dérivés de la lavande, surtout les eaux de lavande et les savonnettes parfumées, conquirent le monde.

L'absence de longs étés secs et chauds, propres aux pays dont la lavande est originaire, ne semblait pas gêner les variétés anglaises. Au XVIIᵉ siècle, John Parkinson affirmait dans l'un de ses herbiers que la lavande française était «assez douce, mais ne pouvait se comparer à la lavande anglaise». En 1931, Mrs. Leyel, la fondatrice de la Société des herboristes, écrivait qu'elle avait souvent traversé des «champs de lavande en fleur en France, et que leur parfum s'était avéré assez pauvre comparé à celui de la lavande anglaise, pourtant cultivée dans les pires conditions».

Quoi qu'il en soit, en raison d'une maladie de la plante d'une part et de la hausse du prix des terrains d'autre part, les champs de lavande de Mitcham, Wallington et Carshalton cédèrent peu à peu la place à des rangées de maisons attenantes. L'industrie de la lavande anglaise ne dut son salut qu'à l'intervention de Linn Chilvers, un pépiniériste du Norfolk qui, en 1932, décida de cultiver cette herbe à l'échelle industrielle. À sa mort, son homme de confiance Adrian Head et sa femme Ann reprirent l'affaire en main. Ann est toujours directrice et le fils Head, Henry, devenu gérant, perpétue la tradition en cultivant 40,5 hectares de champs de lavande, destinés à la distillation d'huile essentielle.

Aujourd'hui, ce sont les pentes ensoleillées des environs de Grasse, en Provence, qui sont le centre mondial de la production de lavande. Initialement introduite par les Romains, la lavande se plut tout de suite sur les terres sèches du versant méridional des Alpes, et se mit à y pousser à l'état sauvage.

Au début du XXe siècle, les bergers locaux cueillaient la lavande pour la vendre aux parfumeurs de Grasse, mais elle n'était pas encore cultivée. Cependant, les parfumeries et le gouvernement français ne tardèrent pas

CI-CONTRE ET CI-DESSUS — *L'exploitation de lavande du Norfolk dans toute sa gloire estivale.*

à se rendre compte que la lavande pouvait être un moyen de freiner l'exode rural qui sévissait dans la région. Juste avant la Première Guerre mondiale, les champs de lavande remplacèrent les amandaies, et la

Provence devint le premier producteur de lavande au monde.

De nos jours, il existe de nombreux autres producteurs à travers la planète, notamment l'Espagne, l'Allemagne, la Belgique, les Pays-Bas, la Bulgarie, la Russie, l'Australie, le Japon, le Canada et les États-Unis.

En Amérique du Nord, les Shakers furent les premiers à cultiver la lavande à des fins commerciales. Cette secte dissidente des Quakers anglais, très stricte, mit tout en œuvre pour vivre en autarcie dès son arrivée en Nouvelle-Angleterre, et créa des exploitations de lavande bien entretenues. Ces plantes et leurs dérivés médicamenteux, élaborés dans les pharmacies des Shakers, étaient vendus au «monde extérieur» dans de jolis et sobres emballages, sur lesquels figurait souvent la liste des ingrédients, pratique peu répandue à l'époque.

En Amérique, la lavande servait également à confectionner des cadeaux. Soutenus au XIXe siècle, à New York, par une publicité astucieuse et respectés pour la qualité de leurs produits, les Shakers reconquirent bientôt les marchés anglais. Aujourd'hui encore, certains articles à base de lavande fabriqués par les communautés shakers se vendent à travers le monde.

LA CULTURE

✦

LA LAVANDE FRANÇAISE EST UNE PLANTE
AU PARFUM DÉLICIEUX ; TRÈS COMMUNE DANS
LE LANGUEDOC ET EN PROVENCE, ELLE A BESOIN
D'UNE TERRE RICHE BIEN EXPOSÉE AU SOLEIL.

Richard Surfleet, *The Countrie Farm*, 1600

CI-DESSUS — *Un champ de lavande prêt pour la récolte.*

CI-CONTRE — *Même si la récolte se fait souvent mécaniquement,*
une certaine quantité de lavande est parfois coupée à la main
et acheminée vers la distillerie dans des caisses en bois.

CI-DESSUS — *Les champs de lavande en fleur dégagent un parfum envoûtant et charment les yeux par leur somptueuse couleur.*

Peu de gens restent insensibles à la vue et au parfum d'un champ de lavande en fleur. Les plants alignés en magnifiques rangées couleur d'améthyste offrent un spectacle inoubliable, rendu encore plus saisissant par l'arôme enivrant qu'ils dégagent et le bourdonnement des abeilles.

La lavande n'a pas toujours été cultivée à grande échelle. Pendant longtemps, surtout dans le sud de la France, elle n'a pas du tout été ensemencée. Les bergers et les paysans la récoltaient et la vendaient aux parfumeurs de Grasse. Quand les Français lancèrent la culture organisée, ils suivirent l'exemple des Anglais en espaçant bien les plants. Ce fut

CI-DESSOUS — *L'alternance de rangées de lavande de couleurs différentes crée un motif varié.*

seulement vers le milieu des années 1950, qu'en prévision de l'introduction des outils mécaniques, on commença à dessiner ces rangs bien nets, si typiques des champs de lavande d'aujourd'hui. Moins d'une décennie plus tard, les machines entraient en action, facilitant grandement la récolte.

Cependant, en Grande-Bretagne, la lavande avait été cultivée à une échelle beaucoup plus modeste pendant des siècles. Chaque plante aromatique avait son parterre, ce qui rendait son identification plus aisée. C'est sans doute

ainsi que naquirent les jardins à entrelacs et les parterres, si populaires au XVIᵉ siècle.

Bien qu'originaire des pays méditerranéens et du Moyen-Orient, la lavande n'a eu aucun mal à s'adapter aux climats plus rigoureux du nord, et elle est devenue très courante dans les jardins traditionnels. Dans de nombreux pays d'Europe, on la trouve à la fois sous forme de buissons isolés et de haies.

L'une des raisons pour lesquelles la lavande prospère sous des climats si dissemblables est qu'elle s'hybride très facilement. Ainsi, il y a toujours une variété capable de s'adapter à un environnement donné. Au fil des siècles, cela a suscité beaucoup de débats chez les connaisseurs, et il est même arrivé que des pépiniéristes se trompent de variété. Pour ajouter à la confusion, on parle souvent de lavandes «française, anglaise, hollandaise ou espagnole», alors que ce ne sont pas des espèces à proprement parler : ces noms désignent simplement les plantes les plus communes dans les régions concernées.

En Grande-Bretagne, il existe deux grands types de lavande, avec d'innombrables hybrides, qui résistent au froid. Le type le plus courant dans les jardins est *Lavandula angustifolia*, autrefois connue sous le nom de *L. vera* ou *L. officinalis*. C'est une plante trapue à l'odeur

suave dont chaque brin ne porte qu'un épi. L'autre type très répandu est *Lavandula* × *intermedia*, un croisement entre *Lavandula angustifolia* et *Lavandula latifolia* (une plante haute sur pied qui croît à l'état sauvage dans le Midi). *Lavandula* × *intermedia* allie la résistance au froid de *L. angustifolia* à l'odeur camphrée et aux pousses axiales de *L. latifolia*.

Un autre type de lavande devient très populaire : *Lavandula stoechas*. Les variétés de ce groupe sont faciles à identifier, avec leurs bractées de couleur vive qui ressemblent à des papillons. Très répandu dans les îles d'Hyères, sur la Côte d'Azur, ce type est parfois appelé « lavande française » et aurait sans doute paru familier aux Romains de l'Antiquité.

CI-DESSUS — *Alors que la lavande française pousse sur le versant méridional des Alpes, la lavande anglaise est cultivée dans des régions plus plates. Les deux variétés ont besoin d'un terrain bien drainé.*

La plupart des variétés de ce groupe ne résistent pas au froid ; plusieurs ont des feuilles délicates proches de celles de la fougère.

LE GUIDE DE LA LAVANDE

Lavande bleue, lavande verte,
Quand je serai roi, tu seras ma reine.
Comptine traditionnelle

La gamme de couleurs de la lavande ne se limite pas à des tons allant du lilas très clair à l'indigo foncé. Il existe des variétés vertes, roses et même blanches. Les épis peuvent être longs ou au contraire trapus et denses. Les feuilles sont soit très effilées, soit plus larges, en forme de fougère.

On distingue plusieurs types de lavande : *Lavandula latifolia,* une variété sauvage qui pousse dans le Midi ; *L. angustifolia,* plus ramassée avec un épi plus touffu ; et *L. × intermedia,* un hybride des deux variétés précédentes, parfois appelé « lavandin ». Un autre groupe, *L. stoechas,* parfois surnommé « lavande française », possède des épis terminés par des bractées en forme de papillon. Un quatrième groupe, *L. pterostoechas,* ne résiste pas au froid et se comporte de façon parfois imprévisible.

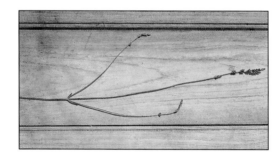

Lavandula latifolia

Les types L. latifolia

L. latifolia prospère dans les jardins méditerranéens. Son parfum camphré très prononcé est à la base de l'industrie espagnole d'huile essentielle de lavande, souvent utilisée dans la fabrication de l'encaustique, des désodorisants et des cires.

L. latifolia × lanata : ses grands épis élancés en font une superbe plante de jardin.

Les types L. angustifolia

L. angustifolia « gemme impériale » : cette variété courante dans les jardins de campagne est très prisée en raisons de ses nombreux fleurons indigo.

L. angustifolia « naine blanche » : une jolie lavande à fleurs blanches qui pousse en buissons compacts de 30 cm de haut.

L. angustifolia « Mlle Catherine » : une délicieuse lavande à fleurs roses.

Types L. × intermedia (lavandin)

L. × intermedia « Grappenhall » : cette lavande très commune dans les jardins anglais possède des épis d'un bleu violacé, tant sur les pousses principales que sur les pousses axiales.

L. × intermedia « Grosso » : un merveilleux hybride à grosse fleur large, baptisé d'après Pierre Grosso.

Lavandula latifolia × lanata

Lavandula angustifolia *« gemme impériale »*

Lavandula angustifolia *« naine blanche »*

LA CULTURE

Lavandula angustifolia *« Mlle Catherine »*

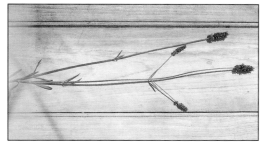

Lavandula × intermedia *« géante »*

Lavandula stoechas viridis

Lavandula × intermedia *« Grappenhall »*

Lavandula stoechas

Lavandula pinnata

Lavandula × intermedia *« Grosso »*

Lavandula stoechas pedunculata

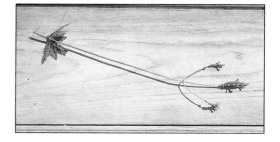

Lavandula canariensis

L. × *intermedia* « géante » : ce grand buisson au parfum très prononcé possède des épis nombreux et compacts, parfaits pour la confection de décorations à base de lavande séchée.

Types *L. stoechas*

L. stoechas : cette ravissante lavande compacte, remarquable par ses épis terminés en bractées ressemblant à des pétales, est souvent appelée « lavande française ».

L. stoechas pedunculata : une variété de *stoechas* particulièrement grande dont les épis se terminent également par des bractées.

L. stoechas viridis : les petites bractées de cette belle lavande verte attestent de ses origines *stoechas*.

Types *L. pterostoechas*

L. pinnata : une plante délicate, semi-annuelle, aux très petits épis. Elle a trois fleurs sur la tige principale et des pousses axiales assez basses. Ses feuilles sont dentelées comme des fougères.

L. canariensis : cette lavande ressemble à *L. pinnata,* mais n'a qu'un seul épi sur la tige principale ; elle possède aussi des pousses axiales.

LE TERRAIN ET LE CLIMAT

LES PLANTES QUI S'ADAPTENT LE MIEUX AUX TERRAINS CHAUDS ET SABLEUX
SONT LA LAVANDE BÉNIE ET LE ROMARIN.

Gertrude Jekyll, 1900

La lavande est une plante extraordinairement versatile et résistante. Originaire des pays chauds et secs du pourtour de la Méditerranée ainsi que des régions déserts de l'Arabie Saoudite, du Yémen et de l'Éthiopie, elle s'adapte bien au climat humide des îles britanniques et même de la Norvège. Toutes les variétés ne conviennent pas à tous les climats. Tandis que certaines, originaires

CI-DESSUS — *Ces lavandes en habit lilas, indigo et blanc, laissées libres de pousser comme bon leur semble, ont l'air de croître à l'état sauvage, ce qui crée un décor d'aspect très naturel.*

CI-CONTRE — *La lavande blanche contraste fortement avec la lavande indigo.*

des pays chauds, ne supportent pas du tout le froid, d'autres, comme *Lavandula angustifolia*, sont vivaces et survivent à plusieurs degrés en dessous de zéro.

Que ce soit dans le désert ou en Grande-Bretagne, la lavande a toujours besoin d'une terre légère, de préférence du sable ou du

gravier dans un endroit sec et ensoleillé, bien drainé afin d'éviter que les racines ne soient noyées en hiver. La lavande n'aime pas les terrains acides et préfère les terrains calcaires. Si votre sol est acide, utilisez de la chaux de jardin et ajoutez une couche d'engrais chaque année. Si vous habitez dans une région très

argileuse, creusez un trou profond, mettez-y des galets pour faciliter le drainage, puis mélangez du sable à la terre avant de planter. Vous pouvez répandre un peu de fumier au moment de la plantation pour aider la lavande à prendre racine, mais n'en mettez pas trop, car cela stimulerait la pousse des feuilles

CI-DESSUS — *La lavande se plaît aussi bien dans les climats chauds et secs que dans les pays humides et froids.*

plutôt que celle des épis et tuerait le parfum. La lavande est très facile à cultiver et ne requiert pas beaucoup de soins.

CULTIVER LA LAVANDE

LE BRIN DE LAVANDE A PLUSIEURS BRANCHES DE CONSISTANCE LIGNEUSE...
LES FLEURS POUSSENT EN HAUT DES TIGES, EN ÉPIS DE COULEUR BLEUE.

John Gerard, *L'Herbier*, 1597

Il n'est pas difficile de semer la lavande, mais du fait qu'elle s'hybride aisément, elle présente parfois des caractéristiques surprenantes. Certains hybrides ne peuvent pas fabriquer leurs propres graines, aussi faut-il prendre des boutures pour les aider à se reproduire.

LES BOUTURES

Au printemps ou en automne, choisissez une jeune pousse d'environ 5 cm de long et

tirez-la vers le bas d'un coup sec afin qu'elle garde un « talon » en se détachant. Trempez celui-ci dans une préparation pour racines à base d'hormones, et plantez-le dans un compost sableux. Gardez humide et protégez du froid. Les boutures printanières prennent plus vite que les boutures automnales (en six semaines environ).

SEMER LES GRAINES

Même si votre plante donne des graines, ses rejetons peuvent s'avérer assez imprévisibles. La lavande s'hybride si facilement qu'un seul plant peut produire de nouvelles pousses de tailles différentes, portant des fleurs variées. En outre, les graines ne sont pas fiables, aussi faut-il les semer en avril, puis repiquer les jeunes plants dans des pots séparés une fois qu'ils ont pris.

ACHETER DES PLANTS

Le plus efficace et le plus facile est d'acheter de jeunes plants chez un pépiniériste. Pour

CI-CONTRE — *La méthode la plus simple et la plus sûre pour propager la lavande consiste à prendre des boutures. La bouture ligneuse, à gauche sur la photographie, est une bouture de bois dur, celle de droite est une bouture de bois tendre.*

CI-DESSUS — *Pour récolter les graines de lavande, attachez un sac autour des épis mûrs. Vous pouvez également en acheter dans les magasins spécialisés.*

éviter de vous tromper, choisissez des variétés assez connues ou des plants déjà fleuris.

PLANTER EN EXTÉRIEUR

Les jeunes semis de lavande peuvent être plantés à l'extérieur dès la fin des gelées. Habituellement, on espace les plants de 60 cm ; cependant, si vous voulez former une haie, plantez à intervalles de 30 à 45 cm. Certains spécialistes conseillent d'empêcher la lavande de fleurir dès la première année afin de stimuler la croissance. Votre plante s'épanouira d'autant mieux l'année suivante

et atteindra sa taille adulte dès la cinquième année. Pour éviter une croissance anarchique, coupez les tiges des épis à ras, à la fin du mois d'août. Taillez la lavande en mars afin de stimuler la pousse en été.

CI-DESSUS — *Vous pouvez acheter des plants à divers stades de développement chez les pépiniéristes.*

CI-CONTRE — *Il faut attendre la fin des gelées pour planter la lavande dehors.*

LES JARDINS DE LAVANDE

... UNE PLANTE DU PARADIS, TOUTE COUVERTE DE FLEURS PARFUMÉES.

Hawes, 1554

Les jardins de lavande flattent tous les sens, et leur parfum ne cède en rien au spectacle qu'ils offrent. Le mot « paradis » vient de *paridaiza,* nom utilisé en Perse il y a 2 000 ans pour désigner les jardins clos réservés aux herbes aromatiques. Certaines variétés de lavande étant originaires de Perse, on ne peut douter que la lavande ait joué un rôle important dans ces fameux *paridaizas.*

On assiste à un retour de la lavande dans nos jardins de campagne, dont beaucoup possèdent au moins un plant. Mais pourquoi se contenter d'un seul buisson solitaire ? Si vous avez suffisamment d'espace, vous pouvez planter plusieurs andains et les laisser gagner le terrain alentour. Les tons indigo des épis estivaux et le subtil vert argenté des feuilles hivernales feront une merveilleuse parure à

CI-CONTRE — *Des andains de lavande répandent un parfum qui ajoute au charme de ce jardin photographié dans toute sa gloire estivale.*

CI-DESSOUS — *Le parfum et les couleurs mêlées des roses et de la lavande s'harmonisent à merveille. Plantez des variétés de lavande basses pour cacher les tiges dénudées des variétés plus hautes sur pied.*

À GAUCHE — *Ces rangées de lavande indigo forment des bordures idéales pour ce ravissant jardin d'herbes aromatiques français.*

CI-DESSOUS — *Les bractées en forme de papillons de* Lavandula stoechas, *également appelée « lavande française » ou « lavande espagnole », ne résistent pas au froid. Aussi est-il préférable de planter cette variété dans un pot que l'on pourra rentrer dans une serre en hiver.*

CI-DESSUS — *Le parfum de ces haies de lavande charme les visiteurs qui s'engagent dans l'allée de cette vieille maison en pierres.*

votre jardin. Pendant la saison chaude, le parfum âcre de la lavande attirera les abeilles et les papillons, tandis qu'il écartera les visiteurs importuns tels que limaces, mouches et mille-pattes.

Pour les plantations, il est aussi possible de s'inspirer des jardins d'antan, où les plants de lavande étaient disposés de façon plus formelle, plus architecturale. En Europe, à la Renaissance, on créait des jardins à entrelacs extrêmement sophistiqués, avec des carrés d'herbes aromatiques ou de gravier, entourés de haies de buis soigneusement taillées. Au XVIIe siècle, ces jardins furent réunis en motifs géométriques appelés parterres. Aujourd'hui, pourquoi ne pas créer un espace miniature de ce genre ou même un simple parterre au centre de votre jardin, en y plantant différentes variétés de lavandes ?

La lavande peut également être utilisée pour border une allée ou des plates-bandes de fleurs, ou bien pour couvrir un petit muret de pierres servant de clôture, d'où elle retombera gracieusement.

LA RÉCOLTE ET LA DISTILLATION

EN CE QUI CONCERNE LA RÉCOLTE DES ÉPIS, ELLE DOIT SE FAIRE QUAND LE SOLEIL BRILLE AFIN QU'ILS PUISSENT SÉCHER, CAR SI VOUS LES CUEILLEZ QUAND ILS SONT MOUILLÉS DE GOUTTES DE ROSÉE, ILS S'ABÎMENT.

Culpeper

On peut gâcher toute une année de soins attentifs en récoltant la lavande dans de mauvaises conditions, même si la plante prospère, fleurit et produit sa précieuse huile.

CI-DESSOUS — *Traditionnellement, la lavande était cueillie à la faucille. Cet outil est encore utilisé pour prélever des échantillons et pour couper la lavande destinée à être vendue en bouquets. Mais la récolte pour les distilleries est industrialisée.*

Il ne suffit pas que les épis soient suffisamment mûrs pour procéder à la récolte, il faut également que le temps soit au beau fixe, car s'il se met à pleuvoir, les fleurs s'abîmeront.

Cette décision est la plus importante de l'année. Les épis doivent être pleinement développés afin de contenir une grande quantité d'huile mais, s'ils sont trop avancés, les fleurons commencent à chuter. L'idéal, c'est une période de sécheresse entre la seconde moitié du mois de juillet et le 15 août. La pluie a un effet désastreux au moment des récoltes, car la moindre trace d'humidité sur la lavande coupée fait brunir puis tomber les fleurons. Enfin, même lorsque les conditions sont réunies, la récolte doit se faire en un laps de temps très bref et il faut acheminer, sans délai, la lavande à la distillerie pour éviter que les huiles ne sèchent.

C'est tôt le matin ou tard le soir, à la fin d'une belle journée, qu'il faut couper la lavande de votre jardin ; en effet, la chaleur de midi dissipe une partie de l'arôme. Coupez les tiges avec un sécateur et rentrez immédiatement votre récolte pour la mettre à l'abri du soleil.

La plus grande partie de la lavande cultivée à l'échelle industrielle va à la distillerie. On l'enfourne dans l'alambic, on projette de

CI-DESSUS — *Bouquets de lavande fraîchement coupée, posés sur les buissons maintenant dépouillés de leurs épis.*

la vapeur dessus pour pulvériser l'huile, puis on laisse celle-ci refroidir jusqu'à ce qu'elle prenne l'apparence d'un liquide jaune clair. En une heure, 250 kg de lavande donnent seulement 50 cl d'huile que l'on doit laisser vieillir pendant un an.

CI-DESSUS — *La lavande destinée à la distillerie n'a pas besoin d'être mise en bouquets. On se contente de la charger sur la machine. Une fois à la distillerie, elle est déversée par terre avant d'être enfournée dans l'alambic.*

CI-CONTRE — *La lavande mise en bouquets est transportée dans des cageots en bois.*

CI-DESSUS — *Ces vieux alambics en cuivre distillent de l'huile essentielle de lavande depuis 1974, et produisent un arôme que les parfumeurs avertis savent reconnaître entre tous. Les alambics modernes sont faits en acier inoxydable.*

LA MISE EN BOUQUETS ET LE SÉCHAGE

SUSPENDUE À L'INTÉRIEUR DES MAISONS DANS LA CHALEUR DE L'ÉTÉ, ELLE PARFUME L'AIR
ET RAFRAÎCHIT LES LIEUX POUR LE PLUS GRAND PLAISIR ET LE PLUS GRAND CONFORT DE SES HABITANTS.

John Gerard, *L'Herbier*, 1597

Rien ne capte mieux l'essence de l'été que la lavande séchée qui continue d'exhaler son parfum au moins huit mois après avoir été coupée. Si sa couleur passe légèrement les premiers jours suivant la récolte, elle garde

CI-DESSOUS — *La lavande destinée au séchage doit être mise en bouquets à mesure qu'on la coupe.*

cependant une douce teinte indigo. Il y a deux façons de la faire sécher : en bouquets pour les compositions florales et en vrac pour en faire des sachets, des coussins parfumés, des décorations murales ou d'autres objets artisanaux.

La lavande récoltée à l'échelle industrielle est suspendue en gros bouquets à un casier réservé au séchage. Celle qui est en vrac sèche à l'air chaud deux ou trois jours avant que les fleurons soient séparés des tiges, puis passés dans un tamis adapté.

Si vous souhaitez faire une composition florale, coupez les épis avant que les fleurons ne s'ouvrent ; pour les pots-pourris, coupez les épis un peu plus tard, afin que l'huile, et par conséquent l'arôme, aient eu le temps de se développer pleinement. Faites de petits bouquets que vous attacherez avec un élastique aussitôt après la coupe : il se resserrera autour des tiges, à mesure qu'elles s'aminciront en séchant. Suspendez les bouquets dans un endroit sec et bien ventilé.

La lavande exhale un parfum si merveilleux et les bouquets sont si jolis que vous pouvez en décorer votre maison. Disposés le long d'une rampe d'escalier, au pied de la balustrade, ils seront aérés et à l'abri des chocs. Vous pouvez les attacher avec du raphia, du ruban ou même des morceaux de tissu.

CI-DESSUS — *On utilise des casiers spéciaux pour sécher la lavande cultivée à l'échelle industrielle. Chez vous, il suffit de suspendre les bouquets au plafond ou au mur d'une pièce bien ventilée.*

La lavande en vrac est encore plus facile à faire sécher : étalez-la sur des plateaux, dans une pièce bien oxygénée. Une fois la lavande sèche, il suffit de frotter les tiges entre ses doigts pour faire tomber les fleurons.

CI-DESSUS — *Ces rangées de bouquets de lavande accrochés au mur pour le séchage*
sont très décoratives. Les bouquets doivent être bien espacés afin que l'air puisse circuler.

LA LAVANDE ET LE LINGE

ALLONS DANS CETTE MAISON, CAR LE LINGE Y EST
BLANC ET FLEURE BON LA LAVANDE, ET J'AI ENVIE
DE ME COUCHER DANS DES DRAPS AINSI PARFUMÉS.

Izaak Walton, *Le Parfait Pêcheur de ligne*, 1653

CI-DESSUS — *La lavande sert souvent
à confectionner des sachets parfumés.*

CI-CONTRE — *Le spectacle saisissant d'un champ de lavande en fleur,
quelques minutes avant le commencement de la récolte.*

L'association entre la lavande et le blanchissage du linge ne date pas d'aujourd'hui. Le nom même de cette plante vient de l'italien du XIVᵉ siècle *lavare,* signifiant « qui sert à laver ». Au fil des siècles, la lavande a de plus en plus été associée au linge de maison, aux vêtements et à la toilette. Le parfum frais de ses épis, évocateur de pureté, y est pour beaucoup. Séchée et dispersée dans l'armoire à linge, la lavande écarte les mites et autres insectes.

Dans sa brochure sur l'industrie de la lavande rédigée au début du siècle, Constance Isherwood écrivait :

Robe de velours et fourrure délicate
Doivent être étendues sur de la lavande
Car son doux parfum éloigne
Les mites aux ailes gris argenté.

Il fallait être bien soigneux pour étaler ses vêtements sur de la lavande, car celle-ci coûtait très cher. En 1592, Greene écrivait à propos d'un homme cousu d'or : « Le pauvre homme paie si cher la lavande sur laquelle [son linge] est posé qu'il semble avoir acheté son habillement deux fois. »

On répandait fréquemment de la lavande en vrac sur les vêtements pour les parfumer,

CI-DESSUS — *Dans les pays ensoleillés, on fait souvent sécher le linge sur des buissons de lavande.*

et les jeunes mariées en garnissaient leur trousseau. Dans son ouvrage *Le Jardin de la santé,* publié en 1579, William Langham recommandait de jeter de la lavande dans l'eau bouillante qui servait au blanchissage :

« Plonges-y ta chemise à tremper et fais-la sécher avant de la porter. » De leur côté, les marchands des rues hélaient ainsi les jeunes femmes :

Achetez ma lavande, jolies filles…
Et mettez-en dans votre linge
Afin qu'il fleure bon.

Au XIXᵉ siècle, en Italie et au sein des communautés shakers américaines, il était courant d'étendre le linge et les vêtements au soleil sur des buissons de lavande afin qu'ils en absorbent le parfum.

Avant le XVIIᵉ siècle, les familles riches mettaient de la lavande dans les armoires pour combattre l'odeur rance du savon qui, à l'époque, n'était pas encore parfumé. Aujourd'hui, cette coutume, toujours en vigueur, permet de donner au linge de maison et aux garde-robes une odeur fraîche, évocatrice de grand air et de pureté.

Traditionnellement, les jeunes filles et les femmes confectionnaient des fuseaux de lavande ou des sachets garnis de fleurons séchés. Les sachets sont faciles à coudre et nécessitent très peu de tissu. Vous pouvez en créer avec des chutes d'étoffes aussi luxueuses que la soie, le velours, le satin et la dentelle.

Brodez-les ou ornez-les d'appliques. Vous pouvez les coudre en forme de cœur, de carré, de triangle ou de rectangle, et leur donner un style sophistiqué ou au contraire rustique, au gré de votre humeur. Disposez-les dans votre linge ou bien suspendez-les à un cintre ou à l'intérieur d'une porte d'armoire, à l'aide d'un joli ruban.

Les sachets parfumés n'exigent que de très petites quantités de lavande. Vous pouvez récupérer les fleurons d'un bouquet séché ou bien en acheter en vrac. Cependant, le mieux est encore de cueillir de la lavande fraîche dans votre jardin ou dans la nature et de la faire sécher vous-même. Les épis de lavande séchée conservent environ huit

CI-DESSUS — *La lavande est souvent utilisée pour parfumer le linge. Suspendez des bouquets séchés à l'intérieur de votre garde-robe.*

mois leur merveilleuse senteur mais, en les secouant ou en les pressant légèrement de temps en temps, vous raviverez l'arôme qui s'atténue progressivement.

SACHETS SHAKERS

Ces sachets de style rustique sont inspirés de ceux que confectionnaient les Shakers; en tissu à carreaux, ils sont décorés avec des brins de lavande. Le cœur symbolisait la devise des Shakers : «Les mains au travail, le cœur à Dieu.» Suspendez-les avec des morceaux de fil de fer dans votre armoire où ils répandront leur parfum plein de fraîcheur.

FOURNITURES
papier et crayon pour gabarit
ciseaux
tissu, au moins 50 × 25 cm
épingles, aiguille et fil à coudre
lavande séchée en vrac
fil de fer
6 brins de lavande séchée
raphia ou ruban

1 Décalquez ou dessinez un gabarit en forme de cœur de 20 cm de haut *(voir p. 124)*. Selon ce gabarit, découpez deux cœurs dans le morceau de tissu. Assemblez-les, endroit contre endroit, en cousant le long du bord et en laissant une ouverture de 5 cm sur le côté. Coupez autour des coutures à environ 5 mm et faites de petites entailles à intervalles réguliers le long des courbes du cœur.

2 Retournez le cœur à l'endroit, garnissez-le généreusement de lavande séchée en vrac et fermez au point perdu. Repliez les deux extrémités d'un morceau de fil de fer de 30 cm de long, en forme de crochets, puis glissez-les dans l'ourlet au niveau de la partie supérieure du cœur. Fermez les crochets.

3 Confectionnez deux bouquets de trois brins de lavande, en entourant les tiges de fil de fer, puis attachez-les ensemble avec du fil de fer. Nouez avec du raphia ou du ruban et cousez la décoration sur le devant du cœur.

CŒUR EN DENTELLE

Les rubans et la dentelle qui décorent ce ravissant cœur garni de lavande lui donnent un petit air désuet.

FOURNITURES
papier et crayon pour gabarit
ciseaux
mousseline de soie de 60 × 20 cm
épingles, aiguille et fil à coudre
fil à broder
bouton de nacre
lavande séchée en vrac
50 cm de dentelle à l'ancienne
50 cm de ruban de satin très étroit
50 cm de ruban pour la boucle
(de préférence en mousseline de soie)

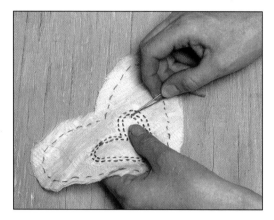

1 Dessinez un gabarit de 15 cm de haut en forme de cœur *(voir p. 124)*. Selon ce gabarit, découpez quatre cœurs dans la mousseline et bâtissez-les par paire, pour que chacun ait une double épaisseur. Découpez un cœur plus petit et cousez-le sur un grand cœur, avec deux brins de fil à broder.

2 Faites une autre rangée de points de devant à l'intérieur de la première. Toujours avec le même fil, cousez le bouton de nacre, puis faites une troisième rangée de points de devant à l'intérieur des deux autres. Assemblez les deux grandes formes de cœur en mousseline, endroit contre endroit, en cousant le long du bord et en laissant une ouverture de 5 cm sur le côté.

3 Coupez autour des coutures, puis faites des entailles à intervalles réguliers le long des courbes. Coupez la pointe inférieure. Retournez le cœur à l'endroit, garnissez-le de lavande, puis cousez l'ouverture au point perdu pour fermer. Cousez la dentelle au point perdu tout autour du cœur, puis le ruban de satin de façon à masquer cette couture. Faites une boucle avec le ruban de mousseline de soie et cousez-la sur le devant du cœur.

FUSEAUX DE LAVANDE

Au XIXe siècle, les jeunes filles de bonne famille confectionnaient des fuseaux de lavande pour passer le temps. Il suffit de replier les épis à l'intérieur des tiges, puis de tisser du ruban autour de celles-ci. Même si ces fuseaux sont faciles à fabriquer, ils exigent du temps et de l'attention, ce qui ne les rend pas commercialement viables.

Réanimez cette tradition en créant vos propres fuseaux de lavande, à l'aide de rubans aux tons pastel en harmonie avec la teinte des épis. Vous aurez besoin d'une bonne longueur de ruban pour chaque fuseau, mais puisque la quantité requise dépend de la longueur des tiges et de la largeur du ruban, il est préférable d'en acheter 2 m et de composer plusieurs fuseaux.

FOURNITURES

9 brins de lavande fraîchement cueillie
1 m de ruban de satin ou de rayonne étroit

1 Confectionnez un bouquet de lavande et nouez les tiges avec le ruban, juste au-dessous des épis.

2 Repliez les tiges vers le bas en ayant soin de ne pas les casser, de façon à enfermer les épis à l'intérieur.

3 Tressez le ruban autour des tiges. Une fois les épis recouverts, nouez le ruban autour des tiges. Enroulez le ruban jusqu'en bas des tiges, puis remontez jusqu'aux épis. Nouez et faites une boucle.

COUSSINETS À BOUTONS

Ces coussinets garnis de lavande séchée, ornés de boutons et de ruban de velours de couleur assortie, feront de jolis diffuseurs de parfum pour vos tiroirs.

FOURNITURES
ciseaux
chutes de soie de 30 × 20 cm
40 cm de ruban de velours de 2 cm de large
6 boutons ronds d'1 cm de diamètre
2 boutons en forme de cœur
aiguille et fil à coudre
lavande séchée en vrac

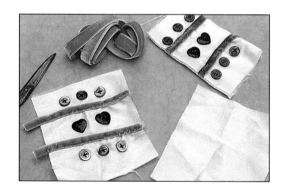

1 Coupez deux pièces de soie de 14 × 10 cm et deux longueurs de ruban mesurant un peu plus que la largeur de la soie. Pliez le ruban en deux dans le sens de la longueur et cousez-le au tiers, en partant des deux côtés du morceau de tissu. Cousez les boutons.

2 Assemblez les deux rectangles, endroit contre endroit, en laissant les deux extrémités ouvertes. Retournez à l'endroit. Fermez le bas du coussinet et cousez une autre longueur de ruban sur le bord inférieur du tissu. Garnissez le coussinet avec de la lavande séchée en vrac, puis fermez le haut comme précédemment.

SAC À LINGE PARFUMÉ

La partie supérieure de ce ravissant sac à linge, fermé par un cordon coulissant, a été garnie de lavande afin d'en parfumer le contenu. Le bas du sac est décoré d'une frange.

FOURNITURES

1,5 m de tissu

1 m de frange

épingles, aiguille et fil à coudre

1 m d'organdi de 10 cm de large

1 m de ruban de rayonne

2 m de ruban gros-grain

grosse épingle à nourrice

fil de coton chenille

2 grosses perles

lavande séchée en vrac

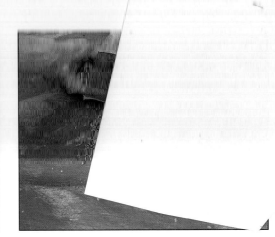

1 Dans la pièce de tissu, découpez un cercle de 24 cm de diamètre, deux rectangles de 50 × 40 cm et deux bordures de finition de 26 × 5 cm. Coupez la frange en deux. Pliez le cercle en deux et marquez le pli avec des épingles. Pliez de nouveau en deux dans l'autre sens et marquez le pli de la même façon. Pliez les deux rectangles de tissu en deux dans la longueur et marquez le pli avec des épingles. Placez-les, endroit contre endroit, en faisant coïncider l'épingle d'une des pièces de tissu à une épingle du cercle. Faites concorder l'épingle de l'autre pièce de tissu avec celle piquée au revers du cercle. Placez la frange entre le cercle et les pièces de tissu, en faisant correspondre les bords coupés. Assemblez les pièces de tissu et le cercle au point de bâti, puis cousez en laissant les coutures latérales ouvertes.

2 Cousez une bande d'organdi de 10 cm de large sur le haut du sac, envers contre envers. Repliez vers l'extérieur. Cousez un morceau de ruban de rayonne sur le bord coupé. Répétez l'opération sur l'autre rectangle de tissu. Cousez l'une des bordures de finition en haut d'une des grandes pièces de tissu, sur un seul côté et endroit contre endroit. Recouvrez d'organdi. La bordure de finition doit descendre jusqu'au milieu de la pièce de tissu. Tournez dans le sens de la longueur et cousez pour terminer la bordure. Répétez l'opération sur l'autre rectangle de tissu. Garnissez le tunnel en organdi avec de la lavande, en vous servant de l'ouverture latérale. Finissez comme précédemment. →

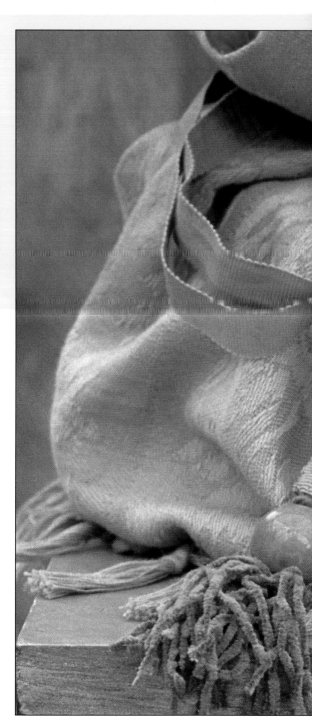

3 Repliez le tunnel en organdi vers l'inté-rieur du sac et cousez toutes les épais-seurs, près du bord inférieur de l'organdi. Pour confectionner le passe-cordon, faites une autre couture en laissant un espace un peu plus large que la largeur du ruban gros-grain.

4 Cousez les côtés, endroit contre endroit. Prenez une bande de tissu pour masquer la couture. Coupez le ruban gros-grain en deux et, à l'aide de l'épingle à nourrice, enfilez un morceau dans le passe-cordon. Faites de même dans l'autre sens avec l'autre morceau de ruban.

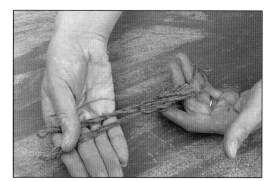

5 Pour confectionner un gland, enroulez le fil de chenille autour de vos doigts. Une fois obtenue l'épaisseur souhaitée, cou-pez le fil. Prenez une autre double épaisseur de chenille et passez-la autour de la première.

6 Glissez les extrémités de la chenille dans le trou d'une perle et faites un nœud serré en haut. Coupez les extrémités du gland et cousez-le au bout du ruban. Répétez l'opération avec la seconde perle.

PETIT CŒUR DE LAVANDE

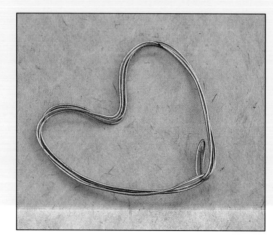

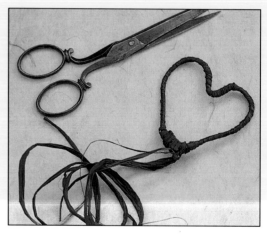

Confectionnez un petit cœur de lavande pour parfumer votre garde-robe. Votre décoration risquant d'être fragile, suspendez-la à la porte de votre armoire pour éviter qu'elle ne soit écrasée.

FOURNITURES
1 m de fil de fer de jardin
raphia, bleu de préférence
1 bouquet de lavande séchée
pistolet à colle et colle à la cire chaude
ciseaux

1 Pliez à deux reprises le fil de fer de jardin en deux. Faites un crochet à une extrémité et glissez-le dans la boucle à l'autre extrémité. Incurvez le haut en forme de cœur.

2 En commençant par le bas, enveloppez le cœur de raphia. Une fois que vous en avez fait le tour, attachez les deux extrémités.

3 En débutant par le creux supérieur, attachez trois brins de lavande au cœur, les fleurons tournés vers l'intérieur et vers le bas. Continuez de garnir la forme en fil de fer avec des bouquets de lavande. Quand vous atteignez la pointe inférieure, répétez l'opération de l'autre côté, toujours en travaillant de haut en bas. Une fois la forme garnie, confectionnez un bouquet plus gros et collez-le en bas du cœur, les épis tournés vers le haut. Coupez les tiges au ras des fleurs.

LA LAVANDE EN DÉCORATION

VOICI POUR VOUS DES FLEURS :

LAVANDE, MENTHE, SARRIETTE ET MARJOLAINE ;

LE SOUCI, QUI SE COUCHE AVEC LE SOLEIL.

William Shakespeare (1564-1616)

CI-DESSUS — *Les tournesols et la lavande se marient à merveille.*

CI-CONTRE — *La lavande garde sa belle couleur violette même une fois séchée et se prête à la perfection aux décorations florales.*

CI-CONTRE — *La lavande existe dans toute une gamme de tons allant du rose clair à l'indigo, en passant par le pourpre et le blanc qui forment un merveilleux camaïeu.*

CI-DESSOUS — *Fraîche, la lavande blanche est l'un des plaisirs de l'été. Profitez-en lorsqu'elle vient d'être coupée, car elle sèche moins bien que les variétés indigo.*

Les bleus lavande, qui vont de l'indigo foncé au bleu jacinthe, en passant par le violet et l'améthyste, forment un camaïeu d'une étonnante richesse. La couleur pourpre, symbole de majesté dans de nombreuses cultures, possède à elle seule une vaste gamme de nuances, à dominante rose, rouge ou bleue. Très évocatrice, elle s'harmonise à merveille avec d'autres tons. Mariez plusieurs variétés de lavande dans vos bouquets ou vos décorations, afin de créer une texture plus riche : outre les bleus indigo familiers, il existe des espèces plus rares, blanches, roses ou vertes.

Superbe quand elle est fraîche, la lavande est en outre facile à manipuler, n'exigeant pas de traitement particulier. Faites-en un simple bouquet que vous attacherez avec un ruban ou bien tressez-la en forme de couronne ou de guirlande, pour une grande occasion. L'effort en vaut la peine, car la lavande sèche bien et fait des compositions durables. Au XIXe siècle, en Angleterre, on avait coutume, les jours de fête, de tresser des guirlandes de lavande autour du portrait du chef de famille. Sans aller jusque-là, vous pouvez décorer un mur, une table, une porte de couronnes et de guirlandes de lavande fraîche.

La lavande séchée peut également faire de belles décorations d'intérieur. En raison de sa forme sobre et élancée, elle se prête à toutes sortes de compositions qui, en outre, ont le mérite de parfumer votre maison. Mais la lavande en bouquets coûte toujours aussi cher qu'autrefois, et puisque les épis sont

minces et tout en longueur, il faut beaucoup de matériel pour une décoration. L'idéal est de cultiver son propre plant afin de pouvoir cueillir, sécher et amasser toute une réserve de lavande au cours de l'été. Si vous ne disposez pas d'une telle source d'approvisionnement, adaptez vos projets et réduisez l'échelle de vos compositions plutôt que d'économiser les fournitures.

Choisissez de préférence une variété de lavande pourvue de fleurons bien serrés. Vous pouvez également utiliser des espèces aux épis moins denses, mais il vous en faudra davantage, et vous aurez plus de difficultés à évaluer la quantité nécessaire pour les projets présentés dans les pages suivantes. Un bouquet peut être très trompeur. La meilleure solution est d'acheter autant de lavande que vos moyens vous le permettent et d'essayer de déterminer la surface qu'elle couvrira, en mesurant l'espace occupé par la pointe des épis. Chez le fleuriste, achetez une base en mousse synthétique expansée d'une taille adéquate. Vous pouvez réduire l'échelle de tous les projets de cet ouvrage.

CI-CONTRE — *La lavande fraîche est superbe dans un vase simple. Disposez plusieurs bouquets dans des pots variés pour composer une jolie nature morte.*

DES DÉTAILS
QUI COMPTENT

━━◆━━

Même de minuscules bouquets de lavande peuvent être utilisés à des fins décoratives. Attachez-les, frais ou séchés, aux dossiers des chaises de jardin lorsque vous recevez des amis. En frottant leur dos sur les épis, ils en libéreront l'arôme. Vous pouvez aussi confectionner des décorations plus durables. Par exemple, faites de petits bouquets à coller sur un cadre ou bien à suspendre au-dessus du miroir de la salle de bains ou sur la porte d'entrée. En raison de sa forme sobre et élancée, la lavande doit être bien attachée. Servez-vous de raphia, de ficelle ou de minces rubans de couleur assortie, pour un bel effet.

À GAUCHE — *Les tiges de la lavande peuvent être intégrées à une composition. Ici, deux bouquets ornent un cadre de bois flotté peint d'une teinte pastel. Attachez les bouquets à l'aide de fil de fer que vous masquez avec une ficelle de couleur, puis collez-les de chaque côté du cadre avec un pistolet à colle et de la colle à la cire chaude.*

À DROITE — *Pour recevoir vos invités, des bouquets de lavande, noués avec du ruban couleur framboise, décorent les dossiers de vos chaises de jardin. Si vous voulez laisser les bouquets en place jusqu'à ce qu'ils soient dégarnis, attachez les tiges avec un élastique afin qu'il se resserre autour d'elles, à mesure qu'elles sécheront.*

OBÉLISQUE BAROQUE

Ce majestueux obélisque garni de lavande, qui rappelle le XVIIᵉ siècle, est facile à confectionner, mais coûteux, car vous aurez besoin d'une très grande quantité de lavande. Si vous le souhaitez, vous pouvez réduire l'échelle de ce projet.

FOURNITURES
couteau pointu
cône de mousse synthétique de 50 cm de haut
urne en métal de 30 cm de diamètre
épingles de couturière
2 m de ruban à bords métallisés de 5 cm de large
12 capsules de pavot séché
10 gros bouquets de lavande

1 À l'aide d'un couteau, creusez le bas du cône de mousse de façon à ce qu'il puisse rentrer dans l'urne.

2 Épinglez le ruban à bords métallisés sur le cône. Travaillez de bas en haut, puis de haut en bas pour créer un effet de treillis. Froissez légèrement le ruban pour accentuer ses reflets. Placez une capsule de pavot en haut de l'obélisque et disposez les autres tout autour du cône, au gré de votre fantaisie.

3 Coupez les tiges de lavande à 2,5 cm des épis et plantez-les autour du cône, en commençant par le point de rencontre entre la mousse et le bord de l'urne. Puis, en travaillant méthodiquement par rangées successives, garnissez progressivement l'intérieur de chaque section délimitée par les rubans. Quand vous approchez d'une capsule de pavot, retirez-la pour pouvoir mettre de la lavande près du trou, puis replacez-la.

ARBRES À LAVANDE

Confectionnez deux arbres à lavande et placez-les de chaque côté d'un miroir ou d'une cheminée, tels les lauriers-sauce que l'on voit parfois encadrer la porte d'entrée des maisons bourgeoises.

FOURNITURES
Pour chaque arbre
couteau pointu
2 boules de mousse synthétique
de 20 cm de diamètre
pot de 20 cm de diamètre
branche de saule d'environ 1 m de long
5 gros bouquets de lavande
fil de fer de fleuriste
lichen

1 À l'aide du couteau, coupez une boule de polystyrène en deux et placez-la dans le pot. Si nécessaire, comblez les vides avec un peu de mousse. Enfoncez deux branches de saule de 50 cm chacune dans la mousse.

2 Fixez la seconde boule de polystyrène en haut des branches. Coupez des brins de lavande de taille identique à 2,5 cm des épis. Formez un cercle de lavande tout autour de la boule, puis un autre, perpendiculaire.

3 Garnissez chaque section avec des épis de lavande, par rangées successives, de façon à obtenir un résultat homogène.

4 À l'aide de plusieurs morceaux de fil de fer recourbés en épingle à cheveux, fixez le lichen sur la mousse contenue dans le pot.

LE TEMPS DES MOISSONS

Avec leurs tons bleu-gris, les tiges de lavande séchée massées en une composition très sobre font un certain effet. Ici, on les a associées à des blés dorés et à des capsules de pavot séché, plantés dans une grande boîte de fer-blanc qui fait ressortir les bleus, les verts et les ors du bouquet. Si vous ne trouvez pas de vieille boîte de ce type, utilisez n'importe quel métal galvanisé à la place.

FOURNITURES

couteau de cuisine
4 briques de mousse synthétique
boîte de fer-blanc de 23 × 23 × 30 cm
2 gerbes de blé séché
6 bouquets de lavande séchée
2 bouquets de capsules de pavot séché
2 poignées de lichen

1 Placez la mousse dans la boîte, en la coupant aux dimensions à l'aide du couteau. Si la boîte est très haute, dressez deux briques de mousse au fond pour soutenir celles du dessus. Le format de ces dernières doit correspondre exactement à celui de la boîte.

2 Au centre de la mousse synthétique, enfoncez les tiges de blé en petites quantités. Jetez les tiges cassées ou imparfaites.

3 En travaillant par rangées successives, disposez les tiges de lavande autour des tiges de blé. Étagez les rangs de lavande, de sorte que ceux de devant soient plus courts que ceux de derrière, afin de donner l'impression d'une plus grande abondance.

4 Coupez les tiges des capsules de pavot à 5 cm des têtes. Disposez une rangée le long du bord de la boîte. Faites une autre ligne derrière, en échelonnant comme précédemment. Glissez le lichen avec précaution sous la rangée de devant, en soulevant les capsules de pavot si nécessaire.

LA LAVANDE DANS TOUS SES ÉTATS

La ligne élancée et sobre de la lavande en fait un matériau idéal pour les décorations intérieures, quel que soit votre degré d'habileté manuelle. Que vous décidiez de faire un bouquet simple ou une composition sophistiquée, suivez le dessin de votre lavande sans essayer de la plier aux exigences d'une décoration florale traditionnelle. Confectionnez des bouquets droits, mettant en valeur la ligne épurée des tiges, ou bien coupez celles-ci et enfoncez les épis dans une base de mousse synthétique, de façon à recréer l'impression des champs de lavande en fleur.

À GAUCHE — *Cet arbre noueux, d'aspect exotique, est constitué d'un tronc en bois flotté, planté dans du sable et garni de lavande espagnole séchée. Si ce projet vous paraît trop ambitieux, confectionnez l'arbre à lavande décrit page 64 ou essayez de réaliser un petit arbre de Noël, à partir d'un cône de mousse synthétique, calé dans un pot en terre cuite.*

À DROITE — *Ces bouquets de lavande, disposés autour d'un panier d'osier, font une ravissante coupe de fruits parfumée. Les bouquets ont été assemblés avec du fil de fer de fleuriste, décorés avec des bandes de tissu provençal, puis fixés à la bordure du panier à l'aide de raphia teint en bleu.*

LAVANDE EN POT

Cette simple composition florale à base de lavande et de fleurs de tournesol séchées, disposées dans un modeste pot de terre cuite, fait beaucoup d'effet. Le contraste entre le bleu indigo de la lavande et le jaune d'or lumineux des tournesols est souligné par l'utilisation de tissus provençaux de couleur assortie. L'ensemble évoque les étés du Midi. Vous pouvez adapter le projet en étageant les tiges de lavande, de façon à créer une composition en éventail plus haute.

FOURNITURES
couteau de cuisine
1 grand cône de mousse synthétique
pot de terre cuite de 15 cm de haut
10 fleurs de tournesol séchées
ciseaux
1 bouquet de lavande séchée
raphia bleu
pistolet à colle et colle à la cire chaude

1 À l'aide d'un couteau, coupez le cône de mousse synthétique aux dimensions du pot de terre cuite.

2 Coupez les tiges de tournesol à 5 cm des fleurs et enfoncez-les dans la mousse tout autour du pot.

3 Coupez les tiges de lavande à 5 cm des épis et enfoncez-les dans la mousse de façon à garnir le centre de la composition.

4 Enroulez plusieurs fibres de raphia autour du pot. Fixez-les à l'aide du pistolet à colle et de la colle à la cire chaude. Coupez les extrémités du raphia.

CŒUR DE LAVANDE FRAÎCHE

Quoi de plus romantique que ce joli cœur de lavande fraîche ! Après l'avoir utilisé comme décoration lors d'une fête, laissez-le sécher. Il fera un charmant souvenir. Ce projet exige une grande quantité de lavande, mais si vous n'en avez pas suffisamment, vous pouvez en réduire les dimensions.

FOURNITURES

Pour 1 cœur de 30 × 30 cm

120 gros épis de lavande
sécateur ou ciseaux
bobine de fil de fer de fleuriste
fil de fer de jardin
ruban adhésif de fleuriste
raphia vert

1 Coupez les tiges de lavande à 2,5 cm des épis et constituez des bouquets de six brins avec du fil de fer de fleuriste.

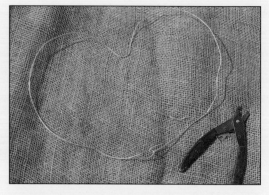

2 Repliez en crochet les extrémités d'un morceau de fil de fer de jardin de 112 cm de long. Joignez les crochets en cercle, puis incurvez le haut pour former un cœur.

3 À l'aide du ruban adhésif, attachez un bouquet de lavande en bas du cœur, les épis tournés vers le haut. Attachez un autre bouquet un peu plus haut. Continuez ainsi jusqu'au creux, puis répétez l'opération de l'autre côté, toujours en travaillant de bas en haut.

4 Confectionnez un petit bouquet de lavande, nouez-le avec du fil de fer et masquez ce dernier avec du raphia vert. Placez le bouquet en bas du cœur et repliez les tiges vers l'arrière. Attachez les tiges avec du raphia et faites une boucle sur le devant.

PETIT BOUQUET ROND

Au temps jadis, les dames tenaient à la main de petits bouquets en guise de parfum. Ces bouquets étaient composés de plusieurs variétés d'herbes aromatiques fraîches. Si vous trouvez de la lavande blanche fraîche ou si vous en cultivez dans votre jardin, associez-la à de la lavande bleue classique pour confectionner ce ravissant petit bouquet rond.

FOURNITURES
1 bouquet de lavande bleue
1 bouquet de lavande blanche
raphia vert ou ficelle de couleur assortie
sécateur
ruban

1 Faites un petit bouquet de lavande blanche et disposez de la lavande bleue autour. Attachez avec un morceau de raphia ou de la ficelle.

2 Mettez le reste de la lavande blanche autour de la lavande bleue, attachez le bouquet avec du raphia ou de la ficelle. Coupez les tiges à l'aide d'un sécateur.

3 Pour finir, nouez un ruban autour des tiges en faisant une jolie boucle.

COURONNE DE LAVANDE SÉCHÉE

Les couronnes de lavande font une superbe décoration murale et parfument votre pièce. Confectionnez une couronne de lavande et laissez-la telle quelle ou décorez-la avec de la ficelle de zostère et des plumes. Cette couronne comporte plusieurs variétés de lavande, pour créer un effet de matière.

FOURNITURES

3 bouquets de lavande séchée, 2 bleus et 1 blanc
bobine de fil de fer de fleuriste
pinces coupantes ou ciseaux
pistolet à colle et colle à la cire chaude
1 couronne en osier de 20 cm de diamètre
ruban

1 Confectionnez plusieurs petits bouquets avec les différentes variétés et attachez-les avec du fil de fer de fleuriste. Finissez tous les bouquets avant de passer à l'étape suivante.

2 À l'aide du pistolet à colle, fixez les bouquets de lavande blanche de chaque côté de la base en osier, en ayant soin de garnir toute la largeur. Collez une autre variété de lavande à côté de chaque section de lavande blanche en procédant de la même façon.

3 Continuez en introduisant une troisième variété. Alternez les différentes
espèces jusqu'à ce que toute la base en osier
soit recouverte. Pour décorer la couronne,
fixez une boucle de ruban dessus à l'aide d'un
morceau de fil de fer.

CI-CONTRE — *Les gris et les bruns des plumes*
d'oiseaux sauvages se marient bien avec les tons
passés de la lavande séchée.

GUIRLANDE DE LAVANDE ET DE TOURNESOL

Ensoleillez votre maison avec cette superbe guirlande de fleurs séchées. Inaugurez-la lors d'une fête, puis posez-la le long d'une étagère ou au-dessus d'une armoire, où elle continuera d'exhaler son parfum toute l'année.

FOURNITURES

1 base de guirlande en plastique

couteau de cuisine

4 briques de mousse synthétique

ciseaux

10 têtes de tournesol séché

1 bouquet de mimosa séché

10 bouquets de lavande séchée

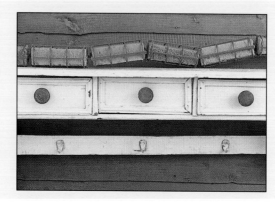

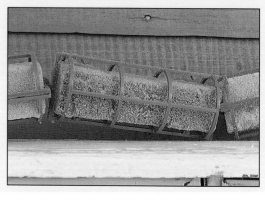

1 La base de la guirlande est constituée de gaines de plastique reliées par un système de crochets.

2 Coupez la mousse aux dimensions des gaines de plastique, puis reliez-les pour avoir une guirlande de la longueur souhaitée.

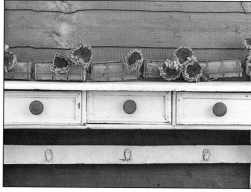

3 Déployez la guirlande le long de l'étagère. Coupez les tiges de tournesol à 5 cm des fleurs. Disposez des groupes de fleurs de tournesol à intervalles réguliers le long de la guirlande. Ajoutez des fleurs de mimosa séché autour des fleurs de tournesol.

4 Coupez les tiges de lavande à 5 cm des épis et ajoutez-les à la guirlande. Travaillez vers l'extérieur à partir de chaque groupe de fleurs de tournesol. Assurez-vous que toute la surface de mousse est bien garnie avant de passer d'un groupe à un autre.

CŒUR DE LAVANDE ET DE ROSES

Un cœur, des roses et de la lavande séchées : voici une décoration murale très romantique. Facile à réaliser, elle ornera n'importe quelle pièce de votre maison.

FOURNITURES
3 briques de mousse synthétique
moule à gâteau en cuivre en forme de cœur
de 30 cm de large
couteau de cuisine
papier, crayon et ciseaux
2 bouquets de roses séchées
4 bouquets de lavande séchée

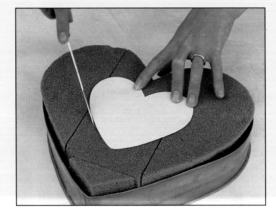

2 Pour le centre, dessinez un cœur sur du papier et découpez la forme (voir page 124). Posez le cœur en papier sur la mousse et délimitez son contour avec la pointe du couteau.

1 Posez les briques de mousse côte à côte. Appuyez le moule à gâteau dessus pour imprimer la marque de son contour. À l'aide du couteau, coupez la forme en mousse à l'intérieur du contour et mettez-la dans le moule. Comblez les vides avec les chutes de mousse.

3 Coupez les tiges des roses à 2,5 cm des fleurs. Disposez une rangée de roses le long du cœur central, en mettant les fleurs les plus foncées sur les bords et les plus claires au milieu. Garnissez le reste du cœur en mousse avec de la lavande, en travaillant en cercles.

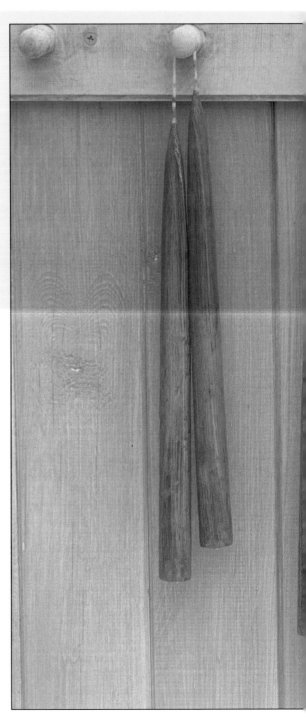

RONDS DE SERVIETTES PARFUMÉS

Ces élégants ronds de serviettes en organdi, garnis de lavande séchée en vrac, sont très faciles à confectionner. Vous pouvez réaliser plusieurs sets de différentes couleurs afin de les adapter à la couleur de votre nappe.

FOURNITURES
Pour 6 ronds
50 cm d'organdi métallisé
ciseaux
1 m d'élastique
aiguille et fil à coudre
lavande séchée en vrac

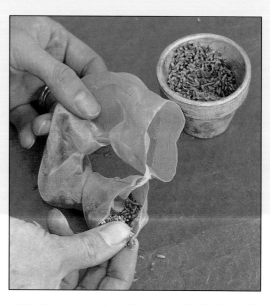

1 Pour chaque rond de serviette, coupez une pièce d'organdi de 30 × 12,5 cm et un morceau d'élastique de 12,5 cm. Pliez l'organdi en deux dans le sens de la longueur, endroit contre endroit. Cousez les bords et retournez à l'endroit. Glissez l'élastique à l'intérieur du tube en organdi et assemblez ses extrémités au point perdu.

2 Garnissez le tube avec de la lavande séchée, puis assemblez les extrémités au point perdu de façon à former un anneau.

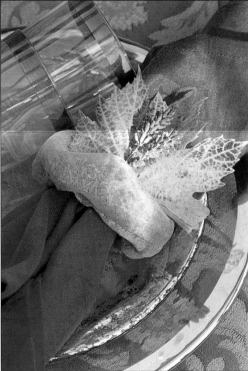

CI-DESSUS — *Pour décorer, glissez un bouquet de lavande ou d'autres fleurs ou bien des feuilles séchées entre le rond et la serviette.*

UN ARÔME PRÉCIEUX

NON SEULEMENT LA LAVANDE EST DOUCE À L'ODORAT ET
PAR CONSÉQUENT AGRÉABLE POUR LE CERVEAU, MAIS ELLE EST
ÉGALEMENT BONNE POUR LA PARALYSIE ET AUTRES INFIRMITÉS.

Thomas Cogham, *L'Abri de la santé,* 1584

CI-DESSUS ET CI-CONTRE — *Fraîche ou séchée,
en simples bouquets ou en compositions plus sophistiquées,
la lavande embaume la maison tout au long de l'année.*

La plus remarquable qualité de la lavande est son parfum, que les Égyptiens, les Grecs et les Romains appréciaient déjà ; les Romains en faisaient notamment grand usage dans leurs bains publics. Depuis des siècles, de nombreuses femmes parfument leur bain de cette herbe et utilisent des cosmétiques et des eaux de toilette à la lavande. Enfin, de tout temps, la lavande a embaumé les maisons.

Au fil des âges, la lavande a joui d'une popularité plus ou moins grande, mais elle n'a jamais complètement disparu. Elle joue encore un rôle important dans le répertoire des parfumeurs. Son arôme caractéristique, à la fois doux et âcre, frais et légèrement médicinal, n'est jamais écœurant. Aujourd'hui, il est associé aux femmes, peut-être parce que les hommes ne se sont pas parfumés pendant la plus grande partie du XXe siècle. Cependant, cela n'a pas toujours été le cas : dans l'Égypte ancienne, en Grèce et à Rome, les hommes se parfumaient autant que les femmes.

L'arôme de la lavande est si précieux, si persistant et si évocateur que les parfumeurs en font grand usage dans les produits de toilette masculins. Les hommes se parfument inconsciemment en utilisant des crèmes et des mousses à raser, car les fabricants de cosmétiques se servent de la lavande comme les

CI-DESSUS — *La simple vue d'un champ de lavande en fleur suffit à évoquer son parfum âcre.*

chefs se servent du sel. Même si sa présence dans un produit n'est pas toujours évidente, la lavande s'y trouve probablement, mélangée à d'autres senteurs.

L'eau de lavande, élaborée dans l'Europe du XIIe siècle par Hildegarde, une abbesse bénédictine qui a beaucoup écrit sur les plantes

et les médicaments, a été l'un des premiers parfums, par opposition aux onguents. Mais ce ne fut que de nombreuses années plus tard que l'utilisation des parfums s'est répandue, car l'église ne la jugeait pas convenable. Après la dissolution des monastères par Henri VIII d'Angleterre, le parfum de la lavande connut un regain de popularité. Sa fille, Élisabeth Ire, était une fervente de la lavande et payait ses préparations suffisamment cher pour mettre ses distillateurs à l'abri du besoin jusqu'à la fin de leurs jours.

À l'époque des Stuart, cet arôme servait à parfumer toutes sortes de produits d'entretien, tels que l'encaustique, les bougies et même le savon. Ce fut Henriette-Marie de France, épouse de Charles Ier qui introduisit en Angleterre l'idée de parfumer le savon et les cosmétiques. Les dames des grandes maisons prirent bientôt l'habitude de passer des heures dans leur propre distillerie à produire de l'huile de lavande et à concocter des eaux de lavande, des crèmes et des potions. Elles faisaient également sécher les épis pour en garnir des sachets parfumés ou des pots-pourris.

La lavande anglaise connut son âge d'or sous le règne de la reine Victoria qui en appréciait beaucoup le parfum. Elle avait coutume de se promener dans les champs de

lavande de Wallington en compagnie de sa «pourvoyeuse d'essence de lavande», Miss Sarah Sprules, pour «boire» l'arôme de la lavande en fleur sous le ciel d'été. Tout au long de l'année, ses différentes résidences sentaient bon la lavande. Les planchers et les meubles étaient enduits de cire d'abeille à la lavande, des pots-pourris parfumaient les pièces, l'eau de lavande et les savons répandaient leur odeur fraîche dans la salle de bains.

La reine lança la mode des produits d'entretien parfumés à la lavande et bientôt, même les foyers les plus modestes se mirent à embaumer. Cette vogue devait durer plusieurs générations. Mais vers la seconde moitié du XXe siècle, la lavande fut associée aux vieilles dames, et sa popularité déclina.

Avec la tendance actuelle du retour aux produits naturels, la lavande est de nouveau très appréciée. On l'utilise en simples bouquets ou en compositions plus élaborées, ou encore pour confectionner de petits présents ou des décorations murales qui flattent à la fois les yeux et l'odorat.

CI-CONTRE — *La lavande est utilisée dans la fabrication de nombreux produits d'entretien, tant pour son parfum frais que pour ses propriétés désinfectantes.*

POCHETTES À LA LAVANDE

S ur les marchés provençaux, la lavande en vrac se vend dans des pochettes en papier d'emballage. Adaptez cette idée en confectionnant des pochettes décoratives, à partir d'une image agrandie ou réduite à la photocopieuse. Vous pouvez glisser ces pochettes parfumées dans un tiroir ou un placard, ou encore les poser sur une étagère. Ici, on a utilisé d'anciens emballages alimentaires, mais toute autre image de votre choix fera l'affaire.

FOURNITURES
papier calque de format A4
crayon gras
ciseaux
image
lavande séchée en vrac
poinçonneuse
ficelle

1 Préparez un patron en papier calque de 20,2 × 28,5 cm. À 2,5 cm à l'intérieur du bord, tracez une ligne droite parallèle à l'un des côtés longs. Tracez une autre ligne parallèle à celle-ci à 11 cm du même bord. Tracez une ligne horizontale à 8,5 cm du haut et une autre à 8,5 cm du bas. Ce panneau délimite l'espace que devra occuper l'image photocopiée et définit sa position. À l'aide d'une photocopieuse, adaptez l'image de votre choix aux dimensions du panneau, en l'imprimant au milieu d'une feuille de papier A3. Situez le calque sur la photocopie de façon à ce que l'image se trouve au bon endroit. Dessinez autour du calque, puis découpez.

2 Retournez le papier sur lequel l'image est imprimée. Faites un pli à environ 1 cm du bord long droit de la feuille, puis repliez une deuxième fois. Pliez la feuille à la verticale, de façon à ce que son côté long gauche vienne se glisser sous le rabat formé précédemment. Vous avez ainsi fermé les côtés de la pochette. Retournez celle-ci à l'endroit et rabattez le coin supérieur gauche, de façon à ce que le pli qui forme la fermeture passe sur le devant, comme sur la photo ci-dessus.

3 Rabattez la pointe du haut, pour la glisser dans le pli de fermeture. Par l'extrémité ouverte, garnissez la pochette de lavande.

4 Fermez celle-ci de la même façon que pour l'autre extrémité. Faites un trou à la poinçonneuse et glissez un morceau de ficelle.

LA LAVANDE À LA MAISON

Autrefois, les grandes familles possédaient leur propre distillerie, se fabriquaient cires, savons, parfums, teintures, conserves et préparations médicamenteuses, sous la férule de la maîtresse de maison. Grâce à son arôme riche et à ses propriétés antiseptiques, la lavande y jouait un rôle important. On produisait ainsi de l'encaustique ou des chandelles avec de la cire d'abeille parfumée à la lavande… On distillait l'huile essentielle de lavande, et on préparait des pots-pourris, en conservant les tiges des plantes pour les jeter dans le feu afin que leur odeur embaume le salon… Parfois, c'était le majordome qui présidait à la préparation des cires et des bougies. Aujourd'hui, nous sommes habitués à retrouver le parfum de la lavande dans les produits ménagers et d'entretien, savons, cires et aérosols. Une grande partie des huiles essentielles utilisées dans leur fabrication vient d'Espagne, où l'industrie de la lavande est particulièrement florissante.

À GAUCHE — *Gardez les tiges de lavande séchée et faites-en de petits fagots que vous jetterez dans le feu pour répandre un parfum frais et naturel à travers votre maison.*

À DROITE — *La lavande séchée entre souvent dans la composition des encaustiques, bougies, savons, produits d'entretien et aérosols.*

COUSSIN D'ORGANDI

━◆━❧◆❧━◆━

es fleurons de lavande séchée, entrevus à travers le tissu d'organdi transparent, créent un effet de matière. Ce merveilleux coussin, dont le dos est en lin, exhalera le délicieux parfum de la lavande dans votre maison.

━◆━❧◆❧━◆━

FOURNITURES
ciseaux
carré de lin violet de 50 cm
carré d'organdi métallisé violet de 50 cm
épingles, aiguille et fil à coudre
1 grand sac de lavande séchée
1,25 m de ruban large
1 m de ruban étroit
4 pompons dorés (facultatif)

1 Coupez un carré de lin et un carré d'organdi de 30 cm de côté. Placez-les, envers contre envers, et rentrez les bords tout autour. Épinglez et bâtissez. Cousez à travers toutes les épaisseurs, en laissant une ouverture de 10 cm pour introduire les fleurons de lavande. Mesurez la largeur totale des rubans et marquez-les avec des épingles, à l'intérieur des bords du coussin. Cousez le long des épingles, en laissant une ouverture coïncidant avec celle de la première rangée de couture.

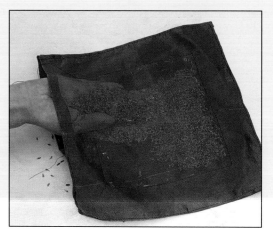

2 Par cette ouverture, garnissez de lavande le centre du coussin. Pour fermer, cousez de préférence le long du bord extérieur.

3 Coupez deux morceaux de ruban large, d'une longueur équivalente à la largeur du coussin. Repliez le coin de chaque ruban et marquez le pli. Coupez le long de cette ligne.

4 Cousez au point de devant le long de la diagonale, près du bord. Répétez l'opération aux quatre coins du coussin.

5 Assemblez le bord extérieur du ruban à la bordure extérieure du coussin, puis cousez le bord intérieur du ruban.

6 Répétez l'opération avec le ruban étroit. Cousez enfin les pompons aux quatre coins du coussin.

POMME D'AMBRE À LA LAVANDE

Cette ravissante pomme d'ambre aux épices constitue une décoration aromatique originale pour toute l'année ou pour un arbre de Noël.

FOURNITURES

40 cm de fil de fer de fleuriste de moyen calibre
1 boule de mousse synthétique
de 9 cm de diamètre
45 cm de ruban
pince coupante
2 bouquets de lavande séchée
ciseaux

1 Pliez le fil de fer en deux et piquez-le à travers la boule de mousse. Glissez le ruban dans la boucle, puis enfoncez complètement celle-ci dans la mousse. Coupez les extrémités du fil de fer et recourbez contre la boule ce qui dépasse, afin de maintenir le tout.

2 Choisissez des épis de lavande de taille identique et, en commençant par le bas de la boule, enfoncez les tiges dedans en tournant autour de sa circonférence.

3 Une fois ce cercle terminé, formez-en un autre perpendiculaire au premier. Votre pomme d'ambre se trouve ainsi divisée en quartiers.

4 En travaillant par rangées successives, garnissez un quartier de lavande. Répétez l'opération pour les trois autres quartiers. Faites un nœud en haut du ruban.

ANNEAU DE BOUGIE

Pour décorer le haut des chandeliers, les Scandinaves confectionnent des anneaux de bougies avec toutes sortes de matériaux. Ces anneaux de bougies à la lavande ornent et parfument agréablement une table d'hôtes. N'oubliez pas d'éteindre les bougies avant qu'elles ne risquent de brûler les anneaux.

FOURNITURES
fil de fer de jardin de moyen calibre
pince coupante
1 bouquet de lavande séchée
ciseaux
fil de fer de fleuriste fin
ruban de satin étroit

1 Avec du fil de fer de jardin, faites un anneau qui puisse glisser le long de la chandelle tout en reposant sur le haut du chandelier. Si vous n'avez pas de fil de fer de jardin, faites un anneau avec plusieurs longueurs de fil de fer de fleuriste que vous relierez avec un morceau du même fil.

2 Confectionnez de petits bouquets de lavande et coupez les tiges à 1 cm des épis. Attachez chacun avec du fil de fer de fleuriste.

3 À l'aide du fil de fer de fleuriste, fixez tous les bouquets de lavande autour de l'anneau. Glissez le ruban dans l'anneau et faites une jolie boucle.

LAMPES À HUILE PARFUMÉES

Pour décorer une table, vous pouvez utiliser des lampes à huile à la place des bougies. Groupez les lampes en les posant sur des coupes de hauteur variable afin de créer une composition intéressante. Pour parfumer votre salle à manger et créer une ambiance romantique, versez quelques gouttes d'huile essentielle de lavande dans l'huile de lampe.

1 À l'aide du petit entonnoir fourni avec les lampes, remplissez celles-ci à hauteur de 2,5 cm avec de l'huile bleue adéquate.

2 Versez 10 gouttes d'huile essentielle de lavande dans chaque lampe, puis rajoutez un peu d'huile de lampe pour diluer. Veillez à ne pas trop remplir vos lampes.

Ne laissez jamais les lampes allumées sans surveillance et tenez-les à l'écart des enfants.

TAPISSERIE DE RUBANS

Cette exquise tapisserie est constituée d'un tissage de deux rubans de mousseline de couleurs assorties. De minuscules bouquets de lavande glissés dans les poches en font un diffuseur mural. Cette tapisserie n'est pas difficile à confectionner, mais elle exige beaucoup de temps et de patience, car le ruban de mousseline est un tissu glissant.

FOURNITURES

6,5 m de ruban de mousseline de 7,5 cm de large

5,5 m de ruban de mousseline d'une autre couleur, de 7,5 cm de large

ciseaux

épingles, aiguille et fil à coudre

papier et crayon

1 bouquet de lavande

1 m de ruban de rayonne violet étroit

1 m de ruban de rayonne rose étroit

tringle de cuivre mince

crochets métalliques pour tringle

1 Coupez le premier ruban de mousseline en quatre longueurs d'1 m et quatre longueurs de 60 cm. Coupez le second ruban en trois longueurs d'1 m et quatre longueurs de 60 cm. Faites un double ourlet à une extrémité de chaque grande longueur afin de pouvoir y glisser une tringle. Cousez au point perdu. Juxtaposez les grandes longueurs de ruban sur une surface plate, l'envers retourné, en alternant les couleurs et en plaçant en haut le passe-tringle. Entrecroisez un ruban court avec les rubans longs, en alignant le bord supérieur sur le passe-tringle. Faites plusieurs points de couture aux croisements. Entrecroisez un autre ruban court et cousez. Continuez ainsi jusqu'à épuisement de tous les rubans.

2 Surpiquez les compartiments à lavande. Commencez par surpiquer toutes les coutures verticales. Faites en sorte que les côtés des rubans verticaux se chevauchent légèrement, puis cousez l'empiétement au point de devant. Vous cousez trois épaisseurs à la fois : deux épaisseurs verticales et une horizontale. Les épaisseurs horizontales sont cousues de la même façon, sauf aux endroits où le ruban horizontal est placé sur le devant de la tapisserie : là, laissez le haut ouvert pour pouvoir y glisser la lavande. Vous ne cousez alors que deux épaisseurs à la fois : le ruban vertical et le ruban horizontal qui passe derrière.

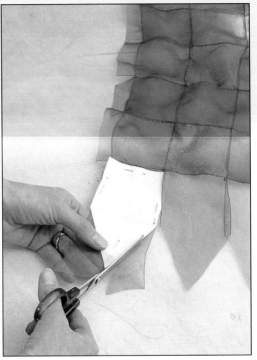

$\mathcal{Z}$ Taillez en pointe les extrémités des rubans verticaux, à l'aide d'un gabarit de papier *(voir page 125)* épinglé sur chaque ruban. Égalisez les rubans horizontaux, afin qu'ils soient tous de même longueur.

$\mathcal{4}$ Confectionnez des bouquets de trois brins de lavande et attachez-les avec du ruban de rayonne rose ou violet. Glissez-les dans les compartiments destinés à cet effet. Glissez la tringle dans le passe-tringle et suspendez la tapisserie à l'aide des crochets.

POT-POURRI DANS UNE POCHE DE GAZE

Enfermez des épis de lavande séchée dans une petite bourse en organdi métallisé, fermée par un large ruban de velours noué sur le devant. Ce joli pot-pourri a en outre le mérite de ne pas prendre la poussière.

FOURNITURES

1 m d'organdi métallisé violet

ciseaux

aiguille et fil à coudre

3 m de ruban de rayonne étroit

épis de lavande séchée

1 m de ruban de velours large

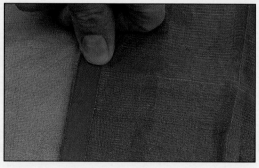

1 Coupez une pièce d'organdi de 40 cm et quatre bandes de 40 × 10 cm pour les parements. Cousez une bande de part et d'autre du carré, endroit contre endroit. Cousez les bandes restantes des deux autres côtés du carré. Coupez les coutures et les coins et retournez les parements à l'envers.

2 Surpiquez tout autour du carré en longeant les bords. Cachez le bord coupé des parements avec du ruban de rayonne : coupez un morceau de ruban un peu plus long que le côté du carré, rentrez les extrémités, puis cousez à cheval sur le bord du parement. Procédez de même pour les trois autres côtés.

3 Pour chaque gland, coupez quatre morceaux de rayonne de 12,5 cm de long, pliez-les en deux et cousez un autre petit morceau de ruban sous le pli. Coupez les extrémités en diagonale. Cousez à chaque coin du carré.

4 Mettez le carré d'organdi à plat, l'endroit face à vous. Placez une poignée d'épis de lavande au centre, puis repliez les quatre coins de façon à former une bourse. Nouez avec le ruban de velours.

EAU DE LAVANDE

1 Mettez 350 g de lavande et 60 cl d'eau minérale dans une casserole. Portez doucement à ébullition en remuant constamment.

2 Faites mijoter 10 minutes, puis retirez du feu et laissez refroidir. Filtrez dans une bouteille et ajoutez 15 cl de vodka. Agitez vigoureusement.

CI-CONTRE — *L'eau de lavande est très appréciée depuis le XIIe siècle. Aspergez-vous avec pour vous rafraîchir ou utilisez-la, à la fin d'une chaude journée, dans un bain de pieds afin de vous reposer les jambes.*

LA LAVANDE ET LE BAIN

Depuis l'Égypte ancienne, la lavande est associée au bain. Plus tard, les Romains s'oignaient d'huile essentielle avant de profiter des bains chauds.

Ajoutez quelques gouttes d'huile de lavande dans votre bain pour vous détendre et apaiser vos muscles. Après le bain, rafraîchissez-vous avec de l'eau de lavande.

CI-DESSUS — *Les sels de bain, les huiles essentielles et les cosmétiques parfumés à la lavande permettent de se détendre après une longue journée de stress.*

SAVON À LA LAVANDE

1 Faites infuser 10 épis de lavande dans 4 cuillerées à soupe d'eau bouillante pendant 30 minutes. Filtrez.

2 Râpez du savon de Marseille dans l'infusion passée, en chauffant à feu doux et en remuant constamment jusqu'à obtention d'un mélange homogène.

3 Pétrissez le mélange en forme de boules, puis laissez sécher et durcir deux jours. D'autres présents peuvent se confectionner à base de lavande, même sans disposer de beaucoup de temps : lotions, savons, crèmes… Le secret réside dans la présentation.

CI-CONTRE — *Si vous n'avez pas le temps de fabriquer le savon, vous pouvez préparer des petits cadeaux avec de la lavande. Nouez autour d'une savonnette parfumée à la lavande une ficelle scellée par quelques gouttes de cire, puis offrez-la avec des sachets de lavande en lin naturel.*

POCHETTE DE BAIN

─◄══►─

Accrochez une pochette de lin garnie de lavande sous votre robinet d'eau chaude pour avoir un bain relaxant et parfumé.

─◄══►─

FOURNITURES
crayon et papier
ciseaux
50 cm de lin naturel
épingles, aiguille et fil à coudre
bouton de 2,5 cm de diamètre
ficelle de couleur pour suspendre

1 Confectionnez un gabarit en papier *(voir page 124)* et découpez-en la forme dans une pièce de lin. Coupez un rectangle de la largeur du patron et long de 16,5 cm pour le devant de la pochette. Dans l'extrémité pointue du patron, coupez un rabat de 15 cm.

2 Sur le devant de la pochette, cousez un ourlet étroit en haut et en bas du rabat. Épinglez, puis cousez la face et le rabat de la pochette au dos de celle-ci, envers contre envers. Coupez les coutures, les coins et la pointe supérieure. Retournez à l'endroit et surpiquez tout autour. Faites une boutonnière sur la pointe du rabat et cousez le bouton. Confectionnez une poignée en glissant de la ficelle sous le rabat et en fermant par un nœud.

GANT DE TOILETTE

Utilisez les vertus cicatrisantes de l'huile essentielle de lavande pour soigner vos égratignures après une chaude journée d'été passée à marcher dans les hautes herbes, les chardons et les ronces. Savonnez votre gant de toilette comme d'habitude, puis glissez un sachet de lavande dans la poche en forme de cœur. Quand vous vous frotterez avec le gant, la lavande sera écrasée et libérera ses précieuses huiles.

FOURNITURES
papier calque
crayon et papier
ciseaux
tissu en nid d'abeilles ou tissu éponge bleu marine
tissu en nid d'abeilles ou tissu éponge vert anis
épingles, aiguille et fil à coudre
fil à broder fuchsia
50 cm de mousseline de couleur
lavande séchée

1 Confectionnez un patron en décalquant les gabarits du gant et du cœur sur une feuille de papier *(voir page 125)*. Découpez deux formes de main dans le tissu bleu marine et une forme de cœur dans le tissu vert anis.

2 Rentrez les bords du cœur et cousez autour. Faites un ourlet sur la partie inférieure de chacune des mains. Si vous êtes droitier, placez l'une des mains l'endroit tourné vers vous et le pouce tourné vers la droite. Si vous êtes gaucher, le pouce doit être orienté vers la gauche. Posez, puis épinglez le cœur au milieu de cette forme. Cousez la partie inférieure du cœur sur le gant.

3 Prenez deux brins de fil à broder et faites une rangée de points de feston tout autour du cœur, de façon à masquer la première couture. Incluez toutes les épaisseurs aux endroits où le cœur est assemblé au gant et, en haut, cousez seulement sur le tissu du cœur afin de ménager l'ouverture.

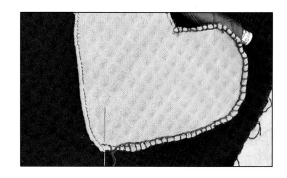

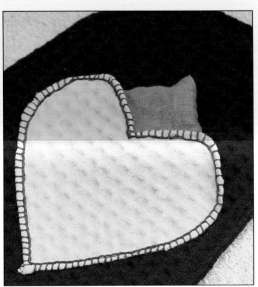

4 Posez les deux formes de main endroit contre endroit et assemblez. Le long des courbes, faites de petites entailles dans la couture, et retournez à l'endroit. Surpiquez tout autour du gant. Pour les sachets, cousez sur trois côtés plusieurs carrés de mousseline de couleur de 5 cm. Garnissez-les de lavande, puis fermez le quatrième côté de quelques points de couture. Jetez les sachets après usage.

PRÉSENTS PARFUMÉS

Un petit présent à base de lavande fait toujours plaisir. Si vous n'avez pas le temps d'en confectionner, achetez un cadeau et présentez-le de manière originale.

CI-CONTRE — *Décorez ces jolis cadres miniatures d'un petit bouquet de lavande.*

CI-DESSOUS — *Faites un cornet de cellophane, emplissez-le de lavande séchée en vrac et fermez-le avec un superbe nœud de satin à bords métallisés.*

CI-DESSUS — *Ce sac et ce coussinet à carreaux garnis de lavande, présentés dans un petit panier de couleur assortie, font un charmant cadeau.*

CI-CONTRE — *Ces ravissants mouchoirs brodés, emplis de lavande et noués avec des rubans de gaze, forment d'agréables diffuseurs de parfum.*

GANT DE CUISINE

Garnissez un gant de cuisine avec de la lavande afin de profiter de son parfum à chaque fois que vous sortirez un plat chaud du four.

FOURNITURES
1 m de toile à matelas
ciseaux
chutes de canevas léger, de mousseline ou de coton
50 cm de rembourrage
épingles, aiguilles et fil à coudre
lavande séchée

1 Coupez deux pièces de toile à matelas de 75 × 20 cm. Arrondissez les extrémités. Découpez six poches arrondies de 20 cm de long : deux en toile à matelas, deux en canevas léger et deux en rembourrage.

2 Découpez des bandes de toile à matelas de 4,5 cm de large, en biais par rapport aux rayures. Faites un double ourlet le long du bord droit des poches en toile à matelas.

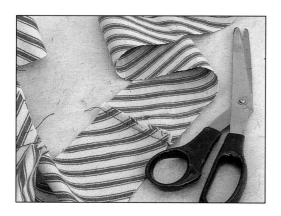

3 Assemblez une poche en rembourrage et une poche en canevas. Garnissez de lavande et fermez. Cousez les bandes bout à bout. Faites une boucle avec un morceau court. Pliez une bande de 7 cm de long en deux dans la longueur, envers contre envers, et cousez.

4 Assemblez le gant. Posez à plat une extrémité de poche en toile à matelas, l'envers tourné vers vous. Posez une poche complète dessus, l'envers toujours vers vous. Ajoutez le sachet garni de lavande et l'autre poche complète dessus, l'endroit vers vous.

5 Épinglez les bandes tout autour du gant, endroit contre endroit. Épinglez la boucle au milieu du gant, en la rentrant vers l'intérieur et en faisant coïncider les bords coupés de la bande avec ceux du tissu de base. Cousez tout autour.

6 Coupez près de la couture et faites des entailles le long des courbes. Retournez les bandes de l'autre côté du gant. Rentrez le bord et cousez de nouveau.

LA LAVANDE
EN CUISINE

✦━✦

SELON LES ENSEIGNEMENTS DE DIOSCORIDE, LES TENDRES
JEUNES POUSSES SONT CONSERVÉES DANS LA SAUMURE ET
MISES DE CÔTÉ POUR ÊTRE DÉGUSTÉES AVEC DE LA VIANDE.

John Gerard, *L'Herbier*, 1597

CI-DESSUS — *La lavande confite à l'ancienne a un goût sucré et parfumé.*

CI-CONTRE — *Dans les siècles passés, la lavande était souvent
utilisée comme ingrédient culinaire en raison de ses qualités
gustatives. Aujourd'hui, on l'emploie rarement en cuisine,
mais elle peut donner une touche exotique à un plat ordinaire.*

De toutes les herbes aromatiques, la lavande est sans doute la plus parfumée, bien que généralement ignorée de la gastronomie moderne. On se demande la raison de ce non-emploi quand le romarin, au goût similaire, occupe une place de choix dans de nombreux plats traditionnels.

Autrefois, la lavande jouait un rôle important dans les cuisines. La reine Élisabeth Iʳᵉ était très friande de confiture de lavande, et à son époque, cette plante était couramment utilisée pour relever les spécialités salées. Il est vrai qu'elle servait souvent à déguiser le goût d'une viande trop faisandée.

L'emploi de la lavande comme aromate passa de mode lorsque les puritains imposèrent un régime simple, tendance qui ne devait s'inverser que beaucoup plus tard, quand les voyages lointains firent découvrir les saveurs exotiques au monde occidental.

Avec le regain de popularité que connaissent actuellement les saveurs très parfumées, il est possible que la lavande reprenne peu à peu sa place au sein de notre gastronomie. Dans les plats salés, elle peut aisément remplacer le romarin pour ajouter une touche originale à un mets du quotidien. Essayez-la pour assaisonner de l'agneau, du poisson, des salades variées, des quiches ou certains pains.

CI-DESSUS — *La lavande peut être cuisinée fraîche ou séchée.*

Cependant, la lavande s'utilise plus couramment dans les recettes sucrées.

Pour parfumer des gâteaux, des biscuits, des confiseries et des desserts, préparez du sucre à la lavande pour remplacer le sucre ordinaire dans les mélanges. Si vous n'aimez pas faire de la pâtisserie, contentez-vous de saupoudrer de la lavande sur des fruits d'été ou des desserts. Les épis peuvent également tenir lieu de garniture décorative. Utilisez-les frais ou confits pour décorer des gâteaux de Savoie ou des chocolats exotiques, destinés à accompagner le café en fin de repas.

Les épis étant parfois très ligneux, il vaut mieux s'en servir lorsqu'on peut les retirer avant de manger : par exemple pour décorer un gâteau, les bords d'un plat ou ceux d'un plateau. Si les fleurs sont destinées à être mangées, détachez les fleurons de la tige et répandez-les sur une salade ou un dessert, ou bien mélangez-les avec. Les variétés indigo sont les meilleures. Choisissez des fleurons complètement ouverts, non seulement parce que ce sont les plus jolis, mais aussi parce qu'ils ont meilleur goût.

Si vous utilisez des fleurs fraîches, écartez d'office celles qui risquent d'avoir été contaminées par des pesticides, en gardant bien à l'esprit que le vent disperse les produits toxiques sur de grandes distances. Évitez de laver les épis, car ils brunissent facilement ; sélectionnez avec soin ceux qui vous paraissent propres. Cela ne devrait pas être difficile, car la lavande pousse généralement sur les hauteurs et n'attire ni les insectes ni les oiseaux. Les seuls visiteurs sont les abeilles,

les bourdons et les papillons. Cueillez les épis tôt le matin, après la rosée, mais avant que le soleil ait eu le temps de dissiper les essences. S'ils sont encore humides, mettez-les à sécher à l'abri du soleil, car la chaleur ouvre les fleurons et libère leurs précieux arômes.

La moindre trace d'humidité flétrit les fleurs et, avec le temps, les pique de taches brunes. Si vous souhaitez de la lavande séchée, achetez une lavande spécialement cultivée à des fins culinaires et emballée dans des conditions d'hygiène très strictes.

CI-DESSUS — *Le sucre à la lavande, que l'on peut utiliser pour saupoudrer les fruits rouges ou faire des confitures, donne un charme un peu désuet aux goûters.*

LAVANDE
CONFITE

Cette garniture remplace les violettes confites pour parfumer les confiseries et les pâtisseries. Détachez les fleurons des tiges, qui n'ont pas bon goût. Vous pouvez le faire avant de les confire ou après, suivant les variétés. Si les fleurons bien espacés sont faciles à détacher une fois confits, ce n'est pas le cas de ceux des épis plus denses.

Sélectionnez quelques épis de lavande fraîche et détachez les fleurons. Jetez les tiges

puis, à l'aide d'une pince à épiler, trempez chaque fleuron dans du blanc d'œuf légèrement battu, puis dans du sucre en poudre. Laissez sécher sur du papier sulfurisé. Quand tous les fleurons sont secs, placez-les entre des feuilles de papier sulfurisé dans un récipient hermétique. Vous pouvez les y conserver pendant trois mois.

SUCRE À LA LAVANDE

C e sucre parfumé donnera une saveur exotique à vos pâtisseries ou à vos confiseries. Préparez-en plusieurs bocaux au cours de l'été et, si vous souhaitez en offrir, versez-le dans de jolis récipients de verre que vous entourerez d'un ruban.

INGRÉDIENTS
1 cuillerée à soupe de lavande culinaire
1 kg de sucre en poudre

Mélangez la lavande avec le sucre et versez dans un bocal hermétique. Laissez reposer au moins un mois, en agitant de temps en temps. Utilisez pour faire des gâteaux, des confiseries et des boissons estivales après avoir retiré les fleurons.

SALADE AUX FEUILLES DE LAVANDE

Les feuilles de lavande ont des qualités gustatives. Comme nombre d'herbes aromatiques, elles sont légèrement velues, et il faut donc les hacher menu. Ces feuilles donneront une saveur originale à une simple salade verte. Les variétés en forme de fougère sont délicieuses.

INGRÉDIENTS
115 g de salade mélangée
1 cuillerée à café de feuilles de lavande séchée hachées
3 cuillerées à soupe d'huile de tournesol
1 cuillerée à soupe de vinaigre de vin blanc
sel et poivre noir moulu

Lavez et préparez les feuilles de salade. Mettez les feuilles de lavande, l'huile, le vinaigre, le sel et le poivre dans un bocal équipé d'un couvercle à pas de vis, et agitez vigoureusement. Versez l'assaisonnement sur les feuilles de salade et servez.

ROUGET À LA LAVANDE

Pour donner une saveur toute spéciale à un rouget cuit au barbecue, ajoutez des feuilles de lavande séchée à l'assaisonnement. Jetez également quelques épis sur les charbons afin de parfumer l'air. Décorez avec des épis avant de servir.

INGRÉDIENTS
4 rougets écaillés, vidés et nettoyés
3 cuillerées à soupe de feuilles de lavande fraîche
ou 1 cuillerée à soupe de feuilles de lavande séchée hachées
sel et poivre noir moulu
1 zeste de citron haché
ciboulette hachée

Faites mariner le rouget 3 heures dans les différents ingrédients. Égouttez et jetez le zeste de citron. Sur un barbecue très chaud, faites cuire 5 à 7 minutes de chaque côté. Pendant la cuisson, badigeonnez la chair de marinade. Ce poisson peut également être frit ou grillé au four.

BISCUITS À LA LAVANDE

Dans le folklore, la lavande a toujours été associée à l'amour. Servez ces biscuits à la lavande en forme de cœur le jour de la Saint-Valentin ou lors d'un anniversaire.

INGRÉDIENTS

Pour 16 à 18 biscuits

115 g de beurre doux fondu

50 g de sucre en poudre,
plus 2 cuillerées à soupe pour saupoudrer

175 g de farine

2 cuillerées à soupe de fleurons de lavande fraîche
ou 1 cuillerée à soupe de lavande séchée hachée

1 Travaillez le beurre et le sucre en une consistance mousseuse. Versez la farine et la lavande, en remuant pour former une boule. Couvrez et mettez 15 minutes au frais.

2 Préchauffez le four à 200 °C (th. 7). Étalez la pâte sur une surface légèrement farinée et découpez dix-huit biscuits, à l'aide d'un emporte-pièce en forme de cœur de 5 cm. Disposez sur une plaque et faites dorer les biscuits 10 minutes au four.

3 Laissez reposer 5 minutes puis, à l'aide d'une pelle à tarte, transférez-les avec précaution sur une grille et laissez refroidir. Vous pouvez conserver les biscuits une semaine dans un récipient hermétique.

TARTELETTES AU FENOUIL ET À LA LAVANDE

Le goût de la lavande se marie à merveille avec celui du fenouil. Servez ces délicieuses tartelettes en hors-d'œuvre pour un repas d'été.

INGRÉDIENTS

Pour 4 parts

Pour la pâte

115 g de farine

1 pincée de sel

50 g de beurre réfrigéré coupé en dés

2 cuillerées à café d'eau froide

Pour la garniture

75 g de beurre

1 gros oignon d'Espagne coupé en tranches fines

1 bulbe de fenouil coupé en tranches

2 cuillerées à soupe de fleurons de lavande fraîche ou 1 cuillerée à soupe de lavande culinaire séchée hachée

15 cl de crème fraîche

2 jaunes d'œufs

1 Mélangez le beurre et la farine en une mixture ressemblant à de la chapelure. Versez l'eau et pétrissez la pâte en boule. Étalez sur une surface farinée, puis garnissez-en quatre moules à gâteau, à fond amovible, de 7,5 cm de diamètre. Piquez le fond à la fourchette et mettez au frais. Préchauffez le four à 200 °C (th. 7). Faites fondre le beurre dans une casserole et ajoutez l'oignon, le fenouil et la lavande. Baissez le feu. Couvrez de papier sulfurisé humide et laissez cuire 15 minutes afin que la préparation commence à dorer.

2 Garnissez les moules avec du papier sulfurisé et cuisez au four 5 minutes. Retirez le papier et cuisez encore 4 minutes. Baissez la température du four à 180 °C (th. 6). Mélangez les jaunes d'œufs, la crème fraîche et l'assaisonnement. À l'aide d'une cuillère, versez le mélange à base d'oignon dans les moules, puis le mélange à base de crème fraîche. Cuisez 10 à 15 minutes jusqu'à ce que la garniture gonfle et commence à dorer. Décorez de quelques fleurons de lavande. Servez chaud ou froid.

GÂTEAU À LA LAVANDE

Faites un gâteau au parfum estival qui évoquera l'époque lointaine où la lavande était appréciée non seulement pour son parfum, mais aussi pour son goût si particulier.

INGRÉDIENTS
175 g de beurre doux fondu
175 g de sucre en poudre
3 œufs légèrement battus
175 g de farine à gâteaux
2 cuillerées à soupe de fleurons de
lavande fraîche ou 1 cuillerée à soupe
de lavande culinaire séchée hachée
1/2 cuillerée à café d'extrait de vanille
2 cuillerées à soupe de lait
50 g de sucre glace passé au tamis
1/2 cuillerée à café d'eau
quelques fleurons de lavande fraîche

1 Préchauffez le four à 180 °C (th. 6). Graissez légèrement et farinez un moule à savarin ou un moule à gâteau à fond amovible, de 20 cm de diamètre. Travaillez le beurre et le sucre jusqu'à obtention d'une consistance légère et floconneuse. Incorporez les œufs en battant bien afin que le mélange devienne épais et brillant. Ajoutez la farine, la lavande, l'extrait de vanille et le lait.

2 Versez le mélange dans le moule à l'aide d'une cuillère et cuisez 1 heure au four. Laissez reposer 5 minutes, puis démoulez sur une grille et laissez refroidir.

3 Mélangez le sucre glace et l'eau jusqu'à obtenir une consistance lisse et homogène. Versez sur le gâteau et décorez avec des fleurons de lavande fraîche.

SCONES À LA LAVANDE

Donnez une saveur inhabituelle et délicieuse à vos scones, le goût de la lavande se mariant à merveille avec la douceur des fruits d'été. Pour organiser un goûter élégant et romantique, disposez les scones sur un plat et décorez celui-ci avec quelques brins de lavande fraîche.

INGRÉDIENTS
225 g de farine
1 cuillerée à soupe de levure chimique
50 g de beurre
50 g de sucre en poudre
2 cuillerées à café de fleurons de
lavande fraîche ou 1 cuillerée à café
de lavande culinaire séchée hachée
environ 15 cl de lait

1 Préchauffez le four à 220 °C (th. 8). Passez au tamis la levure et la farine en même temps. Incorporez le beurre à la farine jusqu'à ce que le mélange prenne l'aspect de la chapelure. Ajoutez le sucre et la lavande, en mettant une pincée de côté pour saupoudrer les scones avant de les mettre au four. Versez du lait jusqu'à obtention d'une pâte lisse et collante. Liez la pâte et étalez-la sur une surface bien farinée.

2 Pétrissez la pâte en l'aplatissant en un disque épais de 2,5 cm. À l'aide d'un emporte-pièce fariné, découpez douze scones. Placez-les sur une plaque à four. Badigeonnez de lait et saupoudrez avec le reste des fleurons de lavande. Faites dorer les scones 10 à 12 minutes au four. Servez-les chauds avec de la confiture de prunes et de la crème fraîche.

GABARITS

À GAUCHE — *Décoration en forme de cœur.*

À DROITE — *Sachets shakers. Agrandissez à une hauteur de 17,5 cm.*

CI-DESSOUS — *Pochette de bain. Agrandissez à 14 × 20 cm, en ajoutant 12 cm pour la pointe.*

GABARITS

Pour agrandir les gabarits, utilisez du papier quadrillé ou une photocopieuse. Dans le premier cas, décalquez le gabarit et dessinez une grille régulière sur le calque. Dessinez une grille plus grande sur une autre feuille. Reportez le contour sur la seconde grille, en procédant carreau par carreau et en agrandissant au fur et à mesure. Repassez les lignes au crayon.

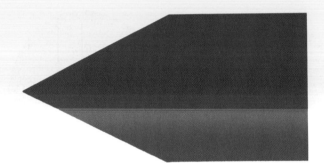

CI-DESSUS — *Extrémité pointue des rubans de la tapisserie murale. Ce gabarit doit mesurer 7,5 cm² avec un petit supplément pour la partie pointue.*

À GAUCHE
ET À DROITE —
*Gant de toilette.
Agrandissez le gant
à 16,5 × 26 cm.*

ADRESSES UTILES

LES COUTURIERS DE LA NATURE
Compositions à base de fleurs séchées ou lyophilisées.
Compositions avec fruits à écale et haricots blancs.
23, rue Saint-Sulpice
75006 Paris
Tél. : 01 56 24 06 08

HERVÉ GAMBS
Tableaux avec roses, lavande et pensées
déshydratées ; tableaux avec feuilles naturalisées.
Pots-pourris, boules de mousse, boules de lierre,
boules de clous de girofle. Arbres en lierre
stabilisé. Gerbes d'orge et de blé. Bougies parfumées.
24, boulevard Raspail
75007 Paris
Tél. : 01 42 22 86 21

GRANDE HERBORISTERIE PARISIENNE
Lavande en vrac séchée, huiles essentielles.
87, rue d'Amsterdam
75008 Paris
Tél. : 01 48 74 83 32

HERBES DU LUXEMBOURG
Lavande en vrac, sachets, savons, huiles de
massage et de bain, élixirs respiratoires, sels
et huiles de bain, parfums, eau de lavande,
vinaigre de lavande pour nettoyer le visage,
encens, bougies parfumées.

3, rue de Médicis
75006 Paris
Tél. : 01 43 26 91 53

L'HERBIER DE PROVENCE
Lavande en vrac, sachets, pots-pourris, bougies
parfumées, eau de lavande, produits cosmétiques,
eaux florales, atomiseurs d'ambiance et diffuseurs
de parfum, huiles essentielles, sets de table avec
décoration de lavande.
44, rue de Lévis
75017 Paris
Tél. : 01 42 27 28 59

1, rue Pierre Lescot
75001 Paris
Tél. : 01 42 21 96 41

99, rue de Rivoli
75001 Paris
Tél. : 01 42 86 83 23

HERBORISTERIE NOTRE-DAME-DES-CHAMPS
Lavande en vrac et en fleur, savons, eaux florales,
sels et huiles de bain, huiles essentielles, crèmes,
lotions, sachets, élixirs respiratoires, tisanes.
38, rue du Montparnasse
75006 Paris
Tél. : 01 45 48 34 81

MARCHÉ SAINT-PIERRE DREYFUS
(MERCERIE ET DÉBALLAGE DU)
Tissus et articles de mercerie.
20, rue Pierre Picard
75018 Paris
Tél. : 01 46 06 57 65

L'OCCITANE
Lavande en vrac, huiles essentielles, eaux florales,
ligne cosmétique, pots-pourris, senteurs
d'intérieur, sachets et coussins garnis de lavande.
Siège social
ZI Saint-Maurice
04100 Manosque
Tél. : 04 92 70 19 00
N° vert : 0 800 20 11 46
Boutiques à Cannes, Colmar, Le Puy, Lyon,
Manosque, Paris, Reims, Rennes, Saint-
Étienne, Strasbourg, Toulouse, Troyes.

CHRISTIAN TORTU
Compositions florales à base de lavande fraîche,
bottes de lavande séchée, lavande en vrac.
6, carrefour de l'Odéon
75006 Paris
Tél. : 01 43 26 02 56

INDEX

REMERCIEMENTS

Un livre n'est jamais l'œuvre d'une seule personne, il est toujours le fruit du travail et de l'enthousiasme de toute une équipe. Je tiens tout particulièrement à remercier Debbie Patterson pour son inspiration et ses superbes photographies, Joanne Rippin pour son humour et ses idées, Liz Trigg pour ses succulentes recettes, Ann et Henry Head de Norfolk Lavender pour leur soutien, leur extraordinaire énergie et leur aide précieuse, Tony Hill de Wallace Antiques pour le site merveilleux qui a été mis à notre disposition, Damask pour le prêt de ravissants sachets de lavande et autres accessoires, Cameron-Shaw pour le prêt de l'arbre magnifique de la page 68, ainsi que pour celui de plusieurs récipients, Gloria Nicol pour les anneaux de bougies de son *Candle Book* et Nigel Partridge pour l'élégante conception de cet ouvrage.